俏

杨红樱作品珍藏版

瞧，这群俏丫头

明天出版社

杨红樱 著

目录

1

漂亮女孩夏林果

2

聪明女孩路曼曼

目录

3

4

人物档案

漂亮女孩夏林果

血型：O型

星座：双鱼座

性格特征：马小跳班上最漂亮的女生，马小跳做梦都想和她同桌。马小跳千方百计地想引起她的注意，可她从来没注意过他，因为她是跳芭蕾舞的，眼睛永远只看前方。

兴趣爱好：跳芭蕾舞。

笨女孩安琪儿

血型： A 型

星座： 双鱼座

性格特征： 马小跳班上长得最不好看的女孩，也是马小跳的邻居。有时候，她很笨；有时候，她的脑筋却可以急转弯，连最聪明的女孩都嫉妒她。

兴趣爱好： 脑筋急转弯。

人物档案

疯丫头杜真子

血型：AB 型

星座：双子座

性格特征：马小跳的表妹，
一个长着一张猫脸的"小
女巫"。她会成语接龙，会
演白雪公主，还会做土豆
沙拉。她有一只会笑的猫。
她可以把男孩子们指挥得
团团转，他们都崇拜她。

兴趣爱好：天天和猫咪呆
在一起。

聪明女孩路曼曼

血型：B型

星座：天秤座

性格特征：马小跳班上的中队长，马小跳的同桌冤家。她最大的爱好就是管马小跳，她和马小跳之间每天都有战争发生。她生病时，只要一管马小跳，病马上就好了。

兴趣爱好：管马小跳。

人物档案

淘气包马小跳

血型: O 型

星座: 射手座

性格特征: 心里有话不说出来会憋得难受,但有一个秘密他不会告诉任何人:那就是他在上幼儿园时,曾经狂热地崇拜过他现在的同桌冤家。他对朋友赤胆忠心,却经常遭到朋友的背叛。他大错不犯,小错不断,站办公室的时候垂头丧气,出办公室的时候欢天喜地。

兴趣爱好: 太多。常变。唯一不变的是对弱小动物的热爱。

人物档案

废话大王毛超

血型：AB 型

星座：巨蟹座

性格特征：嘴巴闲不住，说十箩筐话,有九箩筐都是废话。

兴趣爱好：打探情报,散布小道消息。

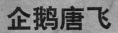

企鹅唐飞

<u>血型</u>:A 型

<u>星座</u>:白羊座

性格特征:不折不扣的小气鬼。他怕人家要他的东西吃，就带钢珠到学校来吃，信不信由你。

兴趣爱好:除了吃，还是吃。

人物档案

河马张达

血型：B 型

星座：金牛座

性格特征：嘴巴大，舌头也大，说话结结巴巴，含含糊糊，他干脆不说话。他喜欢动手不动口，吵架他要输，打架他会赢。

兴趣爱好：跟汽车赛跑。

漂亮女孩夏林果

1

漂亮女孩夏林果

　　如果把夏林果藏在人堆里，谁都能一眼就把她找出来。因为她太出众了——她的背永远挺得笔直；她的眼睛永远平视前方，不看两边；她的下巴永远抬得老高；她的脚尖永远向外成八字，走起路来，膝盖永远不弯……只有从五岁就开始练芭蕾舞的人，才能这样与众不同。

　　在马小跳感到最暗无天日的时候，他曾经非常非常想跟夏林果同桌。

　　马小跳是让秦老师最头疼的学生，秦老师不能每堂课都管他，就把中队长路曼曼派来跟他同桌，监视他的一言一行。这样，马小跳的每一个小动作，都逃不过她的眼睛。

　　马小跳应该还算得上是一个善良的孩子，可他也有"邪恶"的念头一闪而过的时候：他希望路曼曼是个睁眼瞎，虽然在他的身边，但看不见他在干什么。

　　有一次，马小跳一不小心，听到路曼曼在说夏林果的坏话："瞧她目中无人的样子，会跳芭蕾舞有什么了不起？"

马小跳把"目中无人"这个词琢磨了半天。"目中无人"的意思就是看见你就像没看见你似的。如果夏林果是马小跳的同桌，她的眼睛里根本就不会有马小跳，马小跳想干什么就干什么，干了什么也不用担心秦老师知道。

马小跳想入非非。他从来都口无遮拦，心里藏不住事儿，有事不说出来，他会憋得很难受。

马小跳去找张达说。

"张达，你猜我最想跟谁同桌？"

"毛超。"张达想都不用想，"你想上课时跟他讲话。"

马小跳说："我才不想跟毛超同桌。"

"那你想跟唐飞同桌，你想上课时吃他的东西。"

马小跳嘴一撇："那个小气鬼，用枪押着我，我也不跟他同桌。"

"嘿嘿！"张达笑得很难为情，"你是不是想跟我……"

"别自作多情。"马小跳不想把这猜谜的游戏再玩下去了，"告诉你吧，我想跟夏林果同桌。"

"不许你想！"

刚才还嘻皮笑脸的张达翻脸翻得这么快，让马小跳莫明其妙。

漂亮女孩夏林果

003

"我为什么不能想?"

"不能想就是不能想!"

这叫什么话呀?张达要蛮横起来真像一头不讲理的蛮牛。

幸好马小跳的好朋友不止张达这么一个,他的死党还有毛超,还有唐飞,他找他们说去。

马小跳去找毛超,他直截了当地对毛超说他想跟夏林果同桌。

"马小跳,你什么意思呀?"

毛超笑得很怪,不知他脑袋瓜里又在转什么怪念头。

马小跳说:"我没什么意思。"

"没什么意思?"毛超笑得更怪了,"你怎么不想跟安琪儿同桌,偏偏想跟夏林果同桌?"

安琪儿是全班最丑最笨的女孩子,偏偏又是马小跳的邻居。放学的时候,她总想跟马小跳一道回家,但马小跳不喜欢跟她一道走。当然,换了夏林果,马小跳是十分乐意跟她一道回家的。

"是不是因为夏林果 pretty,你就想跟他同桌?"

毛超的英语成绩并不好,但有几个英语单词是用得十分频繁的。比

如 "pretty" 就经常被他挂在嘴上。

马小跳说："我是因为夏林果'目中无人'，不会监视我，不会去向秦老师打小报告，所以才想跟她同桌的。"

毛超马上反驳道："安琪儿更不会监视你，更不会去向秦老师打小报告，你为什么不想跟安琪儿同桌？"

还是好朋友呢！得不到他们的同情，得不到他们的支持，好朋友有什么用？

马小跳把最后一线希望，寄托在好朋友唐飞的身上。唐飞现在正跟夏林果同桌，他希望唐飞能把夏林果让给他。

唐飞除了在吃的方面小气一点，其他方面好像都满不在乎的样子。但愿对于他的同桌，他也满不在乎。

马小跳准备了一袋牛肉干，就去找唐飞，表达了他的愿望。

"什么？"唐飞差点跳起来，"你再说一遍。"

马小跳把他的愿望又说了一遍，然后递上那包牛肉干。

"唐飞，你同意了？"

"我同意什么啦？"唐飞往嘴里扔着牛肉干，"就算我同意了，秦老师也不会同意。"

马小跳想入非非："如果你主动去跟秦老师说，把夏林果让给我……"

"马小跳！我警告你，你再说让我把夏林果让给你，我就……"

唐飞平时懒洋洋的，脸上没什么表情，但现在他脸上的表情挺吓人的。可马小跳不怕他，他把脸迎上去："你，你就怎么样？"

"我就打你！"

唐飞还真打，一拳打在马小跳的鼻子上，把马小跳的鼻血打出来了。

马小跳扑过去，按翻唐飞，他们俩就这样在地上滚来滚去，滚来滚去，也看不出谁打赢了，谁打输了。后来，他们被两个高年级的校值日生拉起来，要把他们送到校长那里去。

在去校长办公室的路上，唐飞掏出纸巾来，帮马小跳把脸上的鼻血擦干净，还问他痛不痛。

马小跳没感觉到痛，他只是心里不明白：为什么想跟夏林果同桌就这么难？

秦老师挖思想根源

两个戴红袖章的校值日生押着马小跳和唐飞来到校长办公室。校长一看又是马小跳，眉头就皱了起来："马小跳，你又怎么啦？"

两个校值日生争着要向校长报告，校长没时间听，让两个校值日生带着马小跳和唐飞去找他们的班主任秦老师。

两个校值日生板着脸，一本正经地押着马小跳和唐飞往秦老师的办公室走去。

走着走着，马小跳和唐飞就勾肩搭背起来。

校值日生把他们分开，可分开不到一分钟，他们又勾肩搭背在一起了。

Piao liang *nü hai* Xia Linguo

校值日生再一次把他们分开，马小跳朝他们吼："干吗把我们分开？"

唐飞也朝他们吼："他又不是我的敌人！"

一个校值日生说："你们刚才打架了。"

"可我们现在和好了。"

马小跳抱抱唐飞，唐飞也抱抱马小跳，表示他们真的和好了，希望校值日生不要再把他们押到秦老师那里去。

"不行！"校值日生断然拒绝，"你们打架的事情，必须要让你们秦老师知道。"

好不容易轮到当一回校值日生，又好不容易逮住了两个打架的人，校值日生岂能轻易放过他们！

校值日生押着勾肩搭背的马小跳和唐飞来到秦老师的面前。

秦老师看了一眼马小跳，又看了一眼唐飞，脸上一点表情都没有，一副司空见惯的样子。

一个校值日生想引起秦老师的重视，说："他们两个打架，把鼻血都打出来了。"

秦老师看看唐飞，又看看马小跳："谁把谁的鼻血打出来了？"

"他把他的鼻血打出来了。"

秦老师扳过马小跳的脸，对着光看，脸上根本没有血迹。

唐飞十分诚实："我帮他擦干净了。"

"哦！"秦老师点点头，"为什么打架？"

他们当然不能说为了夏林果而打架。马小跳悄悄握住了唐飞的手。两只手紧紧地握在一起，表示他们宁死也不说的决心。

"不说吗？不说你们就站在这里，一直站到你们的家长来接。"

唐飞可不愿意等那么久。每天下午六点，他都要看电视台的动画片《神探柯南》。

"我说，我说！"

马小跳没想到唐飞这么快就要当叛徒。他使劲拽住唐飞的手，不让他说。

这个时候，唐飞绝对是《神探柯南》第一，和马小跳的友谊第二。他甩掉马小跳的手，坦白道："马小跳要我把夏林果让给他，跟他同桌，我不让，顺便给了他一拳，他的鼻子本来就爱流血……"

事情好像有点严重，秦老师脸上的表情在迅速地发生着变化：由惊愕变成了愤怒。

"马小跳，唐飞说的是事实吗？"

如果说马小跳身上有九十九个缺点，只有一个优点，那么这个优点就是敢作敢当。

马小跳承认唐飞说的都是事实。

秦老师说："唐飞，你可以走了。"

唐飞走了，头也不回。这时候，他的心里只有《神探柯南》，哪里还有马小跳？

等唐飞和两个校值日生都走了，秦老师去搬了一把椅子来，放在自己的身边，让马小跳坐下。

马小跳一看这阵势，就知道秦老师又要挖他的思想根源了。挖思想根源是一件细致的工作，不能急，要慢慢地挖，所以秦老师每次要挖马小跳的思想根源，都搬一把椅子让马小跳坐下。

"马小跳，"秦老师的声音比平时温柔，她认为只有用温柔的声音，才挖得出思想根源来，"你跟秦老师说，为什么想跟夏林果同桌？"

马小跳想说因为他不想跟路曼曼同桌。话到嘴边，马小跳又把它咽了回去。这话可不能在秦老师的面前说，路曼曼是秦老师最喜欢的学生，是秦老师把她派来跟马小跳同桌的。马小跳像咽口水一样咽下那句话，然后就不再说话了。

"马小跳，为什么不说话？你是不是喜欢夏林果？"

马小跳点点头，又摇摇头。

秦老师说："你又点头，又摇头，到底是喜欢，还是不喜欢？"

马小跳说："有时候喜欢，有时候不喜欢。"

"说具体点。"秦老师循循善诱，"什么时候喜欢，什么时候不喜欢？"

马小跳实话实说："她理我的时候，我就喜欢；她不理我的时候，我就不喜欢。"

"这么说，你还是喜欢夏林果？"

马小跳不吭声了。就算默认吧，他本来就喜欢夏林果，男子汉敢想就敢当。

秦老师认为自己已经把马小跳的思想根源挖出来了，说话的声音便没有刚才那么温柔了。

"马小跳，还真看不出来，你小小年纪，思想竟这么不健康！"

身体不健康，就是身体有病；思想不健康，就是思想有病。

马小跳说："我思想没有病。"

"你还说没有病！"秦老师提高了嗓门，"你才多大呀！你就喜欢人家夏林果？"

马小跳一脸无辜，十分认真地问："秦老师，你说我要长到多大才能喜欢夏林果？"

秦老师知道，马小跳不是故意气她，他就是这样的孩子，心里怎么想就怎么说。

"马小跳，我不跟你浪费时间。"

秦老师不再理马小跳，她拉开抽屉，找出一沓信纸，刷刷地写起来。写了满满一张纸，折起来装在一个信封里。

秦老师没找到胶水，她把没封口的信交到马小跳的手上："马小跳，你帮我把这封信交给你的家长，你能办到吗？"

"没问题。"

马小跳很乐意帮秦老师做事，只是很难得有这样的机会。平时，秦老师要找人做事，会找像路曼曼和丁文涛这样的人，根本轮不上他马小跳。

马小跳拿着那封没封口的信，欢天喜地地向家里跑去。

粘着三根孔雀毛的信

马小跳回到家里，要做的第一件事情，就是把秦老师托他带回来的那封信封起来。刚才秦老师没找到胶水，没封口，虽然马小跳一路上都是把信捧在手上的，但他压根儿就没想过要把这封信抽出来看一看，看秦老师到底给他的家长写了些什么。马小跳不是没有好奇心，他有很强的好奇心，而且，他也知道秦老师在这封信里，写的就是他。但是，马小跳从小就知道，别人的信和别人的日记，是不可以偷看的。

马小跳用他的固体胶水把信封好。为了引起他老爸马天笑先生的重视，他决定把这封信变成鸡毛信，就是在信封上粘三根鸡毛，表示这封信很重要，十万火急。

Piao liang nü hai *Xia Linguo*

找来找去，家里没鸡毛，只有几根插在花瓶里的孔雀毛，那是宝贝儿妈妈从云南的西双版纳带回来的。

孔雀毛太长，马小跳只好剪下最漂亮的那一部分，就是有眼斑的那部分，粘在信封上，一共粘了三根，就像三只亮晶晶的蓝眼睛。

马小跳把这封粘着三根孔雀毛的信，放在那个金奖杯下面，这是马天笑先生在世界玩具博览会上获得的，是马天笑先生的宝贝，每天回家，他都得先看一眼他的宝贝。

今天，马天笑先生回家特别早。像往常那样，他先到陈列柜前看他的金奖杯，自然，他一眼就看到了放在金奖杯下面那封粘着三根孔雀毛的信。

"这是谁的信？"

"秦老师给你的信。"马小跳说，"这封信很重要哦！本来应该是鸡毛信，因为没有鸡毛就粘了孔雀毛。"

马天笑先生也不拆信，举着那封信，觉得挺好玩，他问："这孔雀毛是秦老师粘的，还是你粘的？"

马小跳老老实实地承认是他粘的。

马天笑先生又问信里写的是什么。

"我怎么知道?"马小跳说,"信是写给你的,又不是写给我的。"

马天笑先生先拆开信,展开信纸读起来。读着读着,马天笑先生的神色就一点一点地严肃起来。马天笑先生很少有严肃的时候,他一严肃,脸上的五官就错位,变得很滑稽。

"马小跳,你过来,我得严肃地跟你谈一谈。"

马小跳走过来,跟马天笑先生面对面地坐着。

"谈什么?"

马天笑先生还没准备好谈什么。他又把秦老师的信从头到尾读了一遍,这才说:"马小跳,秦老师说你思想很复杂啊!"

马小跳傻傻地望着马天笑先生,他不知道这话是褒还是贬。刚才,秦老师当着他的面说他思想不健康,现在又在信里说他思想复杂。他的思想到底怎么啦?

"马小跳,你跟那个叫夏林果的女孩子,到底是怎么一回事?"

"能有什么事?"马小跳翻翻白眼,"人家都不理我。"

"人家都不理你,你还去喜欢人家?"马天笑先生恨铁不成钢,"马小跳,你真不像我的儿子。"

瞧,这群调皮

漂亮女孩夏林果

"夏林果有时候也理我。"马小跳想给自己捞回一点面子,"我只不过想跟她同桌,不想跟路曼曼同桌。"

"是不是因为夏林果长得好看,你就想跟她同桌;路曼曼长得不好看,你就不想跟她同桌……"

"老爸……"

马天笑先生不让马小跳插话,接着往下说:"其实,路曼曼长得也不难看,她笑起来的时候也挺好看的。"

"可她从来不对我笑。"

马小跳的语气有点狠。

"那夏林果对你笑吗?"

"她也不笑。"马小跳说,"我们班的女生,只有安琪儿对我笑。"

"那你跟安琪儿同桌好啦!"

"老爸——"

马小跳大喝一声,朝马天笑先生扑过去。

"好好,我投降!我投降!"

马天笑先生还要忙其他的事情,他要结束他和马小跳的这场谈话。

"马小跳，你马上写份保证书，明天交到秦老师那里去。"

"保证什么？"

"保证你今后不再喜欢夏林果。"

"喜欢夏林果是一件坏事吗？"

"也不是坏事，只是……"

马小跳很认真地看着马天笑先生，听他往下说。

"只是……"马天笑先生感到很难自圆其说，"只是你现在还小……"

"小就不能喜欢吗？"马小跳抢着说道，"难道因为小，就不能喜欢你，不能喜欢宝贝儿妈妈吗？"

简直是强词夺理。

马天笑先生说："你喜欢夏林果，跟喜欢我、喜欢宝贝儿妈妈是不一样的。"

"怎么不一样？"

马天笑先生跟马小跳说不清楚怎么个不一样。

"还说我思想复杂。"马小跳撇撇嘴，"是你们大人的思想复杂，还是我们小孩子的思想复杂？"

马天笑先生无话可说。他觉得马小跳说得有道理，因为大人的思想复杂，所以把简单的事情都搞复杂了，把单纯的情感也搞复杂了。

马天笑先生没有强迫马小跳再写保证书。为了捍卫马小跳那份可爱的单纯，他宁愿自己明天去学校，站在秦老师面前挨训。

夏林果换座位

马天笑先生老老实实地站在秦老师的面前,像个规矩的小学生。因为马天笑先生经常被秦老师叫到学校去,所以秦老师对他的态度就不像对别的家长那么客气。

"对马小跳进行教育了吗?"

马天笑先生点头哈腰:"教育了!教育了!"

"给他讲清楚早恋的危害性了吗?"

"早恋"这个词把马天笑先生吓了一跳。但他又不能反驳秦老师,只好小心翼翼地赔笑脸:"嘿嘿,秦老师,没那么严重吧?"

"还说不严重?"秦老师的两条眉毛拧起来,嗓门也大起来,"这样

发展下去，后果不堪设想！"

"秦老师，你先别生气！"马天笑先生安慰秦老师说，"其实，我在读小学的时候，好像也喜欢过一个女孩子，只是在心里喜欢而已，也没出什么事儿。现在要想起来，童年时代的这种情感，特纯真，特美好……"

马天笑先生一脸神往，沉醉在童年时代那种特纯真、特美好的情感里，根本没注意到秦老师的脸已被他气得变了形。

"有其父必有其子"。秦老师再一次对马天笑先生失望了。要教育好马小跳，要让马小跳"悬崖勒马"，压根儿就不能指望像马天笑先生这样的家长。

秦老师客气地请马天笑先生离开了学校。该怎么教育马小跳，她已经成竹在胸。

秦老师第一步要做的，就是拉大马小跳和夏林果的距离。夏林果的座位在马小跳的后面，她要把夏林果调去跟丁文涛同桌，那是距马小跳的座位最远的一个座位。

等马天笑先生一走，秦老师就到教室去给夏林果调座位。

马小跳的反应最强烈："秦老师，为什么要给夏林果换座位？"

秦老师不理他，心里却在说："还好意思问，还不是因为你马小跳！"

马小跳一点都不知道这是因为他，他还以为是因为唐飞。

唐飞喜欢跟夏林果同桌，他上课时爱吃东西，夏林果也不管他。这一点，唐飞最满意。全世界那么多人，如果要选同桌，他只会选择夏林果，其他的人通通不要。现在，秦老师不再让夏林果跟他同桌，唐飞感到很伤心。

唐飞爱哭，他的泪腺特别发达，一哭起来，泪珠就像断了线似的，稀里哗啦地往下落。

一边是马小跳愤怒的叫，一边是唐飞伤心的哭，秦老师的心乱极了。

"唐飞，你哭什么呀？"

Piao liang nü hai Xia Linguo

"老师，老师，我知道他为什么哭。"毛超的嘴巴永远闲不住，"夏林果不跟他同桌了，他很难过。"

"我知道，不用你说。"

秦老师白了毛超一眼，毛超赶紧闭上他的嘴巴。

夏林果一点都不难过。他们在那里吵来吵去，好像跟她一点关系都没有。她十分平静地把桌上的文具盒、课本，一一收进书包里，然后迈着她那跳芭蕾舞的外八字步，头也不回地向她的新座位走去。

马小跳始终没有想通：夏林果和唐飞同桌，坐得好好的，秦老师为什么要给夏林果换座位？

秦老师从爱护马小跳的角度出发，她要为马小跳守住秘密，她不会给班上的同学讲她为什么要给夏林果调座位。

秦老师不讲，像猴子一样精的毛超还是猜出来了。在放学的路上，毛超凑到唐飞身边。因为夏林果不跟他同桌了，所以唐飞闷闷不乐，无精打采。

"唐飞，你知道秦老师为什么给夏林果换座位吗？"

唐飞很不耐烦："我怎么知道？我又不是她肚子里的蛔虫。"

"你不知道，我知道。"毛超故作神秘地说，"告诉你吧，这都是因为马小跳。"

"马小跳？"

唐飞眨巴着眼睛，他不明白这跟马小跳有什么关系。

"马小跳喜欢夏林果，秦老师不准他喜欢，就把夏林果调开，离他远远的。"

唐飞觉得毛超的分析很有道理，就要去找马小跳算账。

马小跳就在他们的旁边，也是闷闷不乐、无精打采的样子。

唐飞冲过去就给马小跳一拳。

马小跳也给唐飞一拳。他不知道唐飞为什么打他，也来不及问，还他一拳再说。

这时，班上有几个男生围过来看热闹，其中也有丁文涛。

一看见丁文涛，马小跳和唐飞马上化干戈为玉帛，一起对着丁文涛吼："你看什么看？"

丁文涛说："我为什么不能看？"

马小跳说："就不许你看！"

"不看就不看！"

丁文涛走了。毛超问马小跳："你愿意夏林果跟丁文涛同桌，还是跟唐飞同桌？"

马小跳当然愿意夏林果跟唐飞同桌，唐飞毕竟是他的好哥们，打得再厉害，他们也是好哥们。

毛超说他有一个办法，可以让夏林果回来跟唐飞同桌。

"什么办法？"

马小跳和唐飞都凑近毛超。毛超一手拉着马小跳的一只耳朵，一手拉着唐飞的一只耳朵，说出了他的那个办法。

喜欢的反义词是讨厌

毛超说的那个办法，就是让马小跳到秦老师那里去承认错误，再向秦老师保证，以后不再喜欢夏林果，再向秦老师请求，请秦老师把夏林果调回来跟唐飞同桌。

又要向秦老师承认错误，又要向秦老师保证，马小跳感到真的是太委屈了。但一想到丁文涛那趾高气扬的样子，马小跳就一门心思地要帮唐飞把夏林果争回来，他会不顾一切。

马小跳一回到家里就写保证书，那天他老爸叫他写都没写，现在为了他的好朋友唐飞，为了对付那个讨厌的丁文涛，写份保证书算什么？又不是没写过，从一年级到现在，他不知写过多少份保证书了。

　　马小跳十分认真地写着保证书，其实好多事情他都没有想通。比如"喜欢夏林果"，完全是别人强加给他的罪名，直到现在他还是稀里糊涂的。他没对夏林果怎么着啊，他只不过不想跟路曼曼同桌，想跟夏林果同桌，想想而已，就成了天大的错误，马小跳想不通。还有，今后对夏林果应该是什么态度？喜欢的反义词是讨厌，马小跳在他的保证书上真的写下了"保证今后讨厌夏林果"这样的句子。

　　第二天，马小跳拿着他的保证书来到秦老师的办公室。

　　"秦老师，我错了。"马小跳递上他的保证书，"这是我的保证书。"

　　秦老师有些莫明其妙。她没叫马小跳来认错，也没叫他写保证书呀！

　　秦老师把保证书看了一遍，指着"保证今后讨厌夏林果"那个句子，问马小跳为什么要讨厌夏林果。

　　马小跳说："讨厌是喜欢的反义词。"

　　"马小跳，你又错了。"秦老师批评道，"同学之间，怎么能讨厌呢？"

　　"又不准我喜欢，又不准我讨厌，到底要我怎么样？"

　　马小跳真的很无奈。

秦老师说："你要端正思想，把心思放在学习上。"

"秦老师，如果我端正思想，把心思放在了学习上，你是不是可以把夏林果的座位换回来？"

秦老师终于明白马小跳来认错、来交保证书的目的了。

"马小跳，你别再胡思乱想！"

秦老师还有事情，让马小跳回教室去。

马小跳刚一回到教室里，唐飞和毛超就跑来问结果。

马小跳本来就有一肚子气，正好撒在这两个人的身上。他就将秦老师最后说的那句话转交给了唐飞。

"唐飞，你别再胡思乱想！"

"毛超，你别再给我出馊主意！"

这一天，马小跳觉得自己很窝囊：违心地向秦老师认错，违心地写那份该死的保证书，违心地保证今后要讨厌夏林果……

马小跳，你真不是个东西！

马小跳想打自己，但打哪儿都疼，所以他最终没有打自己。

没有什么事情可以把马小跳烦上十分钟。不到十分钟，马小跳把那些窝心的事儿全抛到九霄云外去了。

漂亮女孩夏林果

马小跳又成了快乐的马小跳。

下午放学,轮到马小跳做清洁,所以他没有像往常那样跟唐飞他们几个一块儿走。

马小跳刚出校门,就被夏林果拦住了。她一直在这里等着马小跳。

"马小跳,你为什么要讨厌我?"

夏林果不像是生气的样子,她的声音柔柔的,眼睛里也没有泪花。

马小跳说:"我不讨厌你。"

"你讨厌我。"夏林果有根有据,"你在保证书里写了今后要讨厌我。"

"你怎么知道?谁告诉你的?"

不用夏林果回答,马小跳就知道肯定是毛超告诉她的。毛超嘴上的毛病很多,除了爱讲废话,还爱传小话。

"你说呀,马小跳,你为什么要讨厌我?"

夏林果不依不饶,她一定要问出个"为什么"来。从小到大,她就像一个高贵的小公主,生长在一片赞美声中。赞美的话听多了,夏林果对此已经很麻木了。今天冷不丁听说马小跳讨厌她,倒使夏林果对马小跳刮目相看，她一定要知道马小跳为什么要讨厌她。

"你说呀马小跳，你为什么要讨厌我？"

夏林果粘上了马小跳，寸步不离。

这时候，马小跳的感觉好极了。平日里，夏林果根本不理他，连正眼也不瞧他，现在却像个跟屁虫似的跟在他后面，甩都甩不掉。

马小跳大摇大摆地走着，不回答夏林果的问题。其实，他也没法回答夏林果的问题，因为他根本就不讨厌她。

马小跳越不理夏林果，夏林果越觉得他有款有型，与众不同。

"马小跳，你好酷哦！"

马小跳差一点激动得大叫。除了那个又笨又丑的安琪儿夸过他以外，还从来没有别的女生夸过他。何况，在马小跳的心目中，夏林果是全世界最高傲、最漂亮的女生。

夏林果一直跟着马小跳，跟到了他的家门口。以马小跳的热情好客的性格，他应该请夏林果到他家去，他还会请她吃各种颜色的水晶果冻。不过，今天的马小跳好像突然长了许多见识，他知道，如果他一旦表现出对夏林果的热情，夏林果马上就会失去对他的热情。

马小跳连正眼都不瞧夏林果一下，说："我到家了。"

瞧，这群情

夏林果还想缠住马小跳不放："马小跳，求求你，告诉我吧！"

马小跳的心里乐开了花，但他的脸还硬绷着："夏林果，我不会告诉你！我永远也不会告诉你！你走吧！"

夏林果走了。马小跳在后面看着她，看她低着头，也不知道她是不是哭了。

就在那一瞬间，马小跳的心软了，但很快又硬起来：对漂亮女生就得这样，你越不理她，她偏要来理你。

明白这个道理，是马小跳这一天最大的收获。

好癞蛤蟆

　　尽管马小跳违心地做出对夏林果不理不睬的样子，但是，关于"马小跳喜欢夏林果"的谣言，还是在班上流传开来。其他同学都只是说说而已，只有两个人不是说说而已，他们是真的生气。这两个人，一个是马小跳的同桌路曼曼，一个是夏林果的同桌丁文涛。

　　路曼曼和夏林果表面上是好朋友，心里面并不是真正的好朋友。夏林果是大队委，路曼曼是中队长，夏林果管的是学校的事情，路曼曼只能管班上的事情。所以，路曼曼在心里对夏林果是不服气的。现在，又听说马小跳喜欢夏林果，连她自己都不明白，她为什么会生那么大的气。

"马小跳，你是不是喜欢人家夏林果？"

马小跳永远是跟路曼曼对着干的。看见路曼曼生气，他就高兴。

"我就是喜欢，关你什么事？"

路曼曼命令马小跳："我不许你喜欢！"

马小跳嘻皮笑脸："我偏喜欢。"

路曼曼使出撒手锏，掏出那本专门记录马小跳不良表现的小本子，就要往上面记。

马小跳不怕路曼曼记，他说："秦老师早就知道了。"

路曼曼没辙了。没辙的时候，她就会去找丁文涛。

"什么？马小跳喜欢夏林果？"

丁文涛生气的程度绝不亚于路曼曼。他自己也不明白，他为什么会生这么大的气。

"马小跳，你不自量力，自作多情，自以为是，自高自大，自说自话，自……自我毁灭……"

丁文涛自封"成语大王"，他从上幼儿园起就开始背成语，所以只要他开口说话，成语就会一个接一个地蹦出来，要不是路曼曼打断他，从他的嘴里还不知要蹦出多少个成语来。

"丁文涛，你说我们怎么办吧？"路曼曼很着急的样子，"我们中队委总得管管他吧！"

丁文涛说："他这是癞蛤蟆想吃天鹅肉，你能拿癞蛤蟆怎么办？"

丁文涛的意思是，中队委是管不了癞蛤蟆的。

但是，路曼曼却认为中队委管得了癞蛤蟆。

"癞蛤蟆就是癞蛤蟆，癞蛤蟆是不能吃天鹅肉的。"

路曼曼和丁文涛说的话，不知怎么被毛超知道了。他十万火急地在操场上找到马小跳，马小跳正和张达、唐飞打乒乓球。

"马小跳，马小跳，丁文涛说你是癞蛤蟆。"

唐飞、张达都围了过来。

张达问："什么癞……蛤蟆？"

毛超说："就是癞蛤蟆想吃天鹅肉。"

张达他们几个还是一头雾水。

毛超说话喜欢添油加醋："丁文涛说，谁喜欢夏林果，谁就是癞蛤蟆。"

这不等于是说，张达、唐飞、马小跳，包括毛超自己，都是癞蛤蟆

吗?张达永远忘不了,在一次运动会上,夏林果曾经给他系过一次鞋带;唐飞一辈子都只想跟夏林果同桌;毛超特别喜欢在夏林果面前表现自己;马小跳就更不用说了,在他的心目中,夏林果是全世界最漂亮、最可爱的女生。他们都不会承认自己喜欢夏林果,但他们都认为丁文涛就是在说他们是癞蛤蟆。

张达首先发怒:"丁文涛在哪儿?"

马小跳一挥手:"走,找他去!"

等他们在教室里找到丁文涛时,上课铃声却响了,四只"癞蛤蟆"只好作罢,但心里都在对丁文涛说:"放学以后,有你好看的!"

下午放学后,四只"癞蛤蟆"埋伏在丁文涛的必经之路上,等丁文涛摇头晃脑地走过来后,四只"癞蛤蟆"像四个拦路大盗,从矮树丛后跳将出来,横在丁文涛的面前。

"你们要干什么?"丁文涛把滑落在鼻尖上的眼镜扶起来,"我又没有惹你们。"

"你就是惹了我们。"毛超振振有词,"你说我们'癞蛤蟆想吃天鹅肉'!"

马小跳一挺胸脯："不想当将军的士兵不是好士兵，不想吃天鹅肉的癞蛤蟆不是好癞蛤蟆！"

"我承认你们是好癞蛤蟆，行了吧？"丁文涛觉得他们几个好可笑，"你们放我走吧！"

人家已经承认了他们是好癞蛤蟆，再不放人家走，好像也没什么道理。

他们把丁文涛放走了。

四只"好癞蛤蟆"勾肩搭背地往回走。

唐飞突然有些想不通："'癞蛤蟆'跟'好癞蛤蟆'有什么区别？"

马小跳是这样解释的："想吃天鹅肉的是'好癞蛤蟆'，不想吃天鹅肉的就是'癞蛤蟆'。"

唐飞问马小跳吃过天鹅肉没有。

"没有。"马小跳老老实实地回答，"天鹅是我们国家的保护动物，就是打死我，我也不吃天鹅肉。"

毛超说："你刚才不是说不想吃天鹅肉的癞蛤蟆不是好癞蛤蟆吗？"

马小跳无言以对。

毛超笑弯了腰。

　　毛超总这样胡搅蛮缠，马小跳没有耐心跟他多费口舌。何况，要打口水仗，马小跳永远不是毛超的对手。

　　马小跳一头朝毛超撞去。毛超身体单薄，马小跳一撞，就把他撞翻在地。

　　哈哈哈……

　　唐飞、张达都笑起来。毛超那趴在地上的样子，真像一只癞蛤蟆—— 一只想吃天鹅肉的好癞蛤蟆。

黄鼠狼和小鸡

　　马小跳有一个在玩具厂当厂长的爸爸,但马小跳在向别人说起他爸爸时,不说他是厂长,只说他是获过金奖的世界著名玩具设计师。因为厂长遍地都是,但玩具设计师就比较少了。那么,世界著名的玩具设计师是少之又少,获过金奖的世界著名的玩具设计师更是凤毛麟角。

　　马天笑先生每年都要出国,参加一年一度的世界玩具博览会。每次回国,都会带一箱子玩具回来研究。

　　这次,马天笑先生带了一箱子芭比娃娃回来研究。因为芭比娃娃已经风靡世界几十年了,至今还在风靡,这里面一定有原因。

　　在马小跳看来,除了黑色的黑人娃娃、棕色的印第安娃娃、黄色的

Piao liang *nü hai* Xia Linguo

日本娃娃外，那些白人娃娃都是一个样——都有天使般的脸蛋，都有魔鬼般的身材，只是它们的发型和衣服是各式各样的：头发有金黄色的、酒红色的、黑色的，甚至还有白色的，衣服有晚礼服、比基尼、婚纱，还有牛仔裤。

"为什么没有我们中国娃娃？"

马天笑先生说："我这不是正在设计吗？"

十几个芭比娃娃在桌子上站成一排又一排，像一个美女兵团。可是，马小跳一个都看不上。

"你觉得它们还不够漂亮？"

芭比娃娃是世界公认的标准美女，马小跳居然一个都瞧不上，这就使马天笑先生有点惊讶了。

"我们班上的夏林果，比它们都漂亮！"

"夏林果？哪个夏林果？"

"你见过的，和路曼曼一起到我们家来过的。"

有一次，马小跳把科学老师的地球仪搞坏了，秦老师叫中队长路曼曼和大队委夏林果一起到马小跳家来，要他的家长赔偿，所以，马天笑先生应该是见过夏林果的。

"我怎么一点印象都没有?"马天笑先生使劲地回忆,还是回忆不起来,"说明这个女孩子不怎么样。"

谁敢说夏林果不怎么样,马小跳是要跟这个人拼命的,不管这个人是谁, 哪怕是他的亲爸爸。

马小跳愤怒地大叫:"不许你说夏林果不怎么样!"

"好好好,我不说!我不说!"马天笑先生举手投降,息事宁人,"那你把夏林果带到家里来,让我看看,看能不能照着她的样子做一个中国娃娃。"

马小跳一心想让他的爸爸照着夏林果的样子设计一个中国娃娃,可是, 他怎么才能请夏林果到他家里来呢?要知道,夏林果可不是邻居家的安琪儿, 想请她来她就会来。

马天笑先生想见夏林果,很迫切,他说明天下午他什么事都不做, 就在家里等夏林果。

第二天一早,马小跳一走进教室就东张西望地寻找夏林果,见夏林果的座位空着, 就问:"夏林果呢?"

一来就问夏林果,马小跳这一反常举动,引起了他的同桌、中队长

路曼曼的高度警惕。

"你问人家夏林果，是什么意思？"

"她怎么还没来？"

"人家来不来，跟你有什么相干？"

坐在前面的毛超，转过头来怪怪地笑。马小跳知道他在笑什么，一巴掌拍在桌子上，吓得毛超赶紧把头转回去。

夏林果终于来了，迈着她那跳芭蕾舞的外八字步，下巴抬得老高地走进了教室。

马小跳松了口气，他就怕夏林果不来。

第一节课下课后，马小跳密切注视着夏林果的动静。

夏林果没有离开座位，她的同桌丁文涛也没有离开座位。这个人讨厌得很，曾经说过马小跳是"想吃天鹅肉的癞蛤蟆"，害得马小跳不得不把"不想当将军的士兵不是好士兵"这句名言扯出来，自封"想吃天鹅肉的好癞蛤蟆"。

马小跳在心里恨不得丁文涛马上消失，可是丁文涛偏不消失，就像是屁股钉在了椅子上。

马小跳朝夏林果走去。

"夏林果……"

夏林果只看了一眼马小跳，就不再理他。马小跳心里很奇怪：前两天，夏林果还缠着他，问他为什么讨厌她？为什么不理她？现在他理她了，她却又不理他了。难道真的是那个道理：越是漂亮的女孩子，越是不要去理她；你越不理她，她就越要来理你。

马小跳于是扭头就走。

这一招还真灵，夏林果追上来了："马小跳，你找我有什么事？"

马小跳说："下午放学后，我想请你到我家去。"

"马小跳，你黄鼠狼给鸡拜年——没安好心！"

丁文涛神出鬼没，不知从什么地方冒了出来，横在马小跳和夏林果的中间。

马小跳推开丁文涛："我跟夏林果讲话，没跟你讲话！"

丁文涛护住夏林果："我要保护夏林果！"

凭什么要他来保护夏林果？如果夏林果需要保护，也应该由他马小跳来保护。

马小跳和丁文涛打了起来。

Piao liang nü hai *Xia Linguo*

"不许打架！"

中队长路曼曼一手抓住马小跳，一手抓住丁文涛。

要说打架，三个丁文涛都不是马小跳的对手，所以，丁文涛十分庆幸刚开打，路曼曼就来了。

丁文涛在路曼曼的耳边嘀嘀咕咕的，不知说了些什么。路曼曼用看黄鼠狼的眼光看着马小跳："马小跳，你到底安的什么心啊？"

马小跳真成了没安好心的黄鼠狼，夏林果真成了需要保护的小鸡。

在接下来的几节课的课间休息时，路曼曼和丁文涛都寸步不离地守住夏林果，根本不让马小跳这只"黄鼠狼"有半点接近夏林果的机会。

下午放学，马小跳十分沮丧地回到家里。马天笑先生真的在家里等着马小跳把夏林果带回家来。

"马小跳，那个夏林果呢？"

马小跳不会让自己没面子的。

"你以为夏林果是安琪儿，想请就请来了吗？"马小跳还理直气壮，"人家夏林果忙得很，每天下午放学后都要去跳芭蕾舞。你知道吗，夏林果可以踮起脚跳小天鹅……"

因为要赶着设计出中国娃娃，马天笑先生着急得很："我什么时候能见到夏林果？"

马小跳一定要给自己捞回面子。他让马天笑先生耐心地等着，他一定会让马天笑先生见到夏林果的。

瞧，这群情T妹

漂亮女孩夏林果

不用胶卷的数码相机

六一儿童节到了，学校要在阶梯礼堂里举办一个盛大的庆祝会，每个班都要表演节目。马小跳他们班的节目，就是夏林果跳的芭蕾舞《天鹅湖》。

每次表演，夏林果都要找人给她拍照片。她有一本厚厚的影集，里面放的全是她的舞台表演照。

夏林果想找张达给她拍照片，她比较喜欢话少的男生。而在这个班上，咋咋呼呼的男生特别多，像毛超、马小跳、丁文涛，都属于咋咋呼呼一类的。只有两个男生不属于那一类，一个是唐飞，他爱吃东西，因为嘴巴忙不过来，所以话自然而然就少了；另一个是张达，他说话有点结巴，他知道扬长避短，特别知道在女生面前怎样扬长避短，他的长处是行动敏捷。所以张达基本上是只行动，不说话，越不说话越显得酷。在夏林果的心目中，张达就是一个很酷的男生。

夏林果抬着下巴，迈着跳芭蕾舞的外八字步，朝张达走去。那时候，张达正在打乒乓球，跟他在一起的，还有马小跳、唐飞和毛超。

"张达，你会拍照吗？"夏林果直奔主题，漂亮女生不用转弯抹角，"我明天表演时想请你帮我拍照。"

张达还没来得及开口，马小跳和毛超就咋呼开了。

"他连焦距都对不准。"

"摁快门的时候，他的手会发抖。"

连嘴巴没有空闲的唐飞也停止了咀嚼，插了一句："他们家的傻瓜相机，闪光灯都是坏的。"

"我……我……"

张达本来就结巴，一急，就更说不出话来。马小跳乘虚而入："夏林果，我们家有部高级相机，我老爸从日本买回来的名牌，明天我给你拍。"

唐飞把马小跳推到一边："夏林果，我们家有部摄像机，明天，我从头到尾，全给你拍下来。"

在他们旁边还有一个丁文涛，他们的话他都听见了，但他不动声色，他知道该怎么办。

马小跳回到家里，就像报喜一样对马天笑先生说："老爸，你终于可以见到夏林果了。"

马天笑先生正为中国娃娃的造型没搞定而发愁，所以他立刻追问：
"夏林果什么时候到咱们家来？"

"夏林果明天要在我们学校的礼堂表演芭蕾舞，我可以把我们家的相机带去，把她拍下来，再把她的相片带回来。"

其实，马天笑先生是很不情愿把家里那部从日本带回来的高档相机让马小跳带到学校里去的，可他得尽快地把中国娃娃的造型定下来，所以只好同意马小跳把高级相机带到学校里去。

"老爸，相机里装胶卷了没有？"

马天笑先生平时会买许多胶卷，都存在冰箱里。

他从冰箱里取出一卷胶卷来，正要装进相机里，马小跳又在喊了。

"老爸，三角架是怎么用的？"

马天笑先生忙得满头大汗。胶卷还没装好，他又去教马小跳捣鼓三角架。

"其实你不用三角架也可以。"

"要用的。"马小跳说，"如果我给夏林果照相时，手抖了怎么办？"

第二天，马小跳是脖子上挂着相机，肩膀上扛着三角架去学校开庆祝会的。

"马小跳，你这是干什么？"

秦老师皱着眉头。

"一会儿夏林果上台表演的时候，我给她拍照。"

"谁让你拍的？"

"是夏林果让我拍的。不信，你问唐飞。"

唐飞今天也带了摄像机来，不等秦老师问他，他就抢着回答，而且还添油加醋地说：

"夏林果说，有人给她拍照，她才跳得好；没人给她拍照，她就跳不好。"

秦老师想，夏林果是代表全班表演节目，是为班级争光，就让他们给她拍吧。再说，一年才过一次儿童节，何必让他们不高兴呢？

秦老师没有再追究下去，等于是默认了。

马小跳趾高气扬，就怕别人看不见他脖子上挂着一部照相机。

丁文涛凑到马小跳的胸前，看了半天，才说了一句话："你这部相机真大啊！"

"等我把镜头伸出来，那才叫大呢！"

瞧，这群调干女

马小跳把照相机端起来，摁了一个什么机关，只听哧的一声，黑洞洞的镜头伸出来，足有半尺多长。

"哇噻！"

马小跳的周围响起一片赞叹声。

"看清楚了没有？"马小跳问丁文涛，"这才是高级相机！"

丁文涛笑了一笑，但他是皮笑肉不笑。

庆祝会开始了。校长讲完话就是文艺演出。夏林果表演的芭蕾舞是最后一个节目，最后的节目就是最好的节目。马小跳根本不知道前面演了些什么节目，他一心等待的是夏林果的节目。

终于等到了最后一个节目。

当报幕员还没有报出最后一个节目是什么时，马小跳已经冲到舞台上去了。

"马小跳，你干什么？"秦老师拉住了马小跳，"下来！快下来！"

"我给夏林果拍照！"

"只准你在下面拍！"

在下面拍就在下面拍。马小跳手忙脚乱地捣鼓着三角架，可还没等他支起来，夏林果就已经开始跳了。

有闪光灯在不停地闪。

除了他马小跳，还有谁带了相机来给夏林果拍照？

马小跳找到闪光灯后面的人，原来是丁文涛。他手里捏着一部巴掌大的相机，在那里猛闪。

这家伙就会玩阴的。

马小跳是不会输给丁文涛的。他也不支三角架了，他举着相机，在舞台下面跑来跑去，镜头追随着舞台上的夏林果，一阵猛拍。

夏林果的节目比较长，丁文涛说给夏林果照了一百多张。

马小跳说，他起码给夏林果照了两百多张。本来嘛，他的照相机比丁文涛那巴掌大的照相机高级多了，当然会照得比他的多。

"什么牌子的胶卷可以照两百多张呀？"

丁文涛怪里怪气地问了这么一句。

马小跳有点心虚了，他知道他相机里面的胶卷是三十六张的，最多能照到三十八张。

"难道你相机里的胶卷可以照一百多张吗？"

"我告诉你，我的是数码相机，根本就不用胶卷，只用一张卡，就

可以照到四百张。你懂不懂？"

马小跳傻了。丁文涛那部不起眼的、巴掌大的相机，居然是数码相机，不用装胶卷，就可以照四百张。

"我还怀疑你的相机里根本就没有胶卷。"丁文涛指指马小跳脖子上的相机，"你最好把它打开来看看。"

马小跳真的心虚了，他老爸完全有可能做出这样的事情。

"怎么，不敢打开？"

丁文涛咄咄逼人，把马小跳的肺都气炸了。

"打开就打开！"

哗的一声，马小跳打开了相机。这时候的马小跳，差点昏死过去——相机里真的没有胶卷！

想起马小跳刚才忙得不可开交的样子，班上的男生女生都笑起来，连秦老师都笑了。

马小跳呀马小跳，你真是白忙了。

个性的中国娃娃

马小跳当众出丑!

他惊天动地地忙了一阵,结果相机里连胶卷都没有,而人家丁文涛,神不知鬼不觉地用那部巴掌大的数码相机,一口气就给夏林果拍了一百多张。

最要命的是这时候,夏林果还没来得及卸装,穿着那雪白的舞衣、雪白的芭蕾舞鞋,就朝马小跳跑来了。

"马小跳,你给我拍了多少张?"

"两百多张。"丁文涛抢着回答,"不过,都是空镜头。"

夏林果说:"我在台上看见,你的闪光灯不是一直在闪吗,怎么会

是空镜头？"

夏林果从五岁开始就在舞台上表演，表演经验十分丰富，只要有闪光灯在闪，她就会对着镜头，做出最动人的表情。刚才，她就一直对着马小跳的镜头做表情。

唐飞说："他的相机里根本就没有装胶卷。"

"马小跳，你太小气了！"夏林果满脸都是瞧不起马小跳的神情，"用了你的胶卷，我会还你的。"

马小跳无地自容："我没有小气，我……"

夏林果根本没有耐心听马小跳说下去，她都快哭了："早知道这样，我就请别人给我照了。"

"夏林果，你过来！"丁文涛神秘地向夏林果招手。

夏林果过去了。丁文涛在给她看那部巴掌大的相机，看着看着，夏林果就笑了。

马小跳很好奇，他也走过去看。原来在那部数码相机的背面，有一个小屏幕，就像看电视荧屏一样，能看见丁文涛刚才给夏林果拍的照片。丁文涛正一张一张地放给夏林果看，真的有一百多张呢！

"这张眼睛怎么是闭着的?"

"没关系,不满意的可以删掉。"

丁文涛当场示范,删掉了那张闭着眼睛的照片。

"哇,这相机太高级了!"夏林果似乎已经忘记了刚才的不愉快。马小跳看夏林果开心,他也开心,立刻就忘记了刚才的尴尬。他拼命地往前挤,身子压在丁文涛和夏林果的肩膀上。

丁文涛扭头一看是马小跳,马上把相机上的屏幕关掉。

"你看什么看?"

"有什么了不起!"马小跳梗着脖子,边说边走,"我不看就是了。"

就这样输给丁文涛,马小跳怎么会甘心?他又倒回去,大声说道:"夏林果,你知道吗,我爸爸要照着你的样子,做一个中国娃娃。"

"真的?"夏林果立即对那部数码相机没了兴趣,"是像芭比娃娃那样的中国娃娃吗?"

夏林果在收藏芭比娃娃,已经有二十几个了,就是没有一个中国娃娃,她知道马小跳的爸爸是个玩具设计师,如果能照着她的样子设计出一个中国娃娃,跟那些金发碧眼的芭比娃娃站在一起,多好玩呀!

无论谁遇到高兴的事情,都想找一个人来分享。夏林果马上把这件

事情告诉了路曼曼。

路曼曼可不像夏林果那么高兴。她的警惕性很高，很快就发现这里面有个问题，她带着夏林果去问马小跳。

"马小跳，你爸爸又没有见过夏林果，怎么可能照着她的样子，设计中国娃娃呢？"

马小跳振振有词："我爸爸是没见过她，但他听说过她。"

"他听谁说过？"

马小跳把他的脸伸过去，跟路曼曼脸对脸："远在天边，近在眼前。"

路曼曼妒意顿起。她和夏林果是表面要好，心里却一直嫉妒夏林果长得比她好看。她一把推开马小跳，厉声问道："你怎么说的？"

只要路曼曼生气，马小跳就高兴。他摇头晃脑："我不告诉你！"

路曼曼可不是那么容易被马小跳气倒的。她逼着马小跳，要他带她和夏林果一起去见马天笑先生。

"你不敢带我们去，就说明你在撒谎。"

马小跳正想把夏林果带到家里去。

"我可以把夏林果带到家里去，但是不能带你去。"

"我必须去!"

好不容易有一个把夏林果带回家的机会,万万不能错过。路曼曼要去,就让她去吧,反正马小跳没撒谎,怕什么?

庆祝会一结束,路曼曼和夏林果就押着马小跳向他家走去。

在路上,他们遇见了安琪儿。因为安琪儿家跟马小跳家在一层楼上,所以他们可以一直同路。

安琪儿走到马小跳的身边,悄悄问他:"马小跳,你又犯什么错了?"

"走开,走开!"马小跳一向不喜欢跟安琪儿走在一起,"我什么错都没犯!"

安琪儿早已习惯了马小跳对她的这种态度,所以她一点都不生气。"她们为什么押着你回家?"

这句话倒提醒了马小跳。马小跳每次犯了错,就是这样被押着去秦老师办公室的。

马小跳转身拦住路曼曼和夏林果:"你们凭什么押着我?"

"谁押你了?"路曼曼伶牙俐齿,"你走在前面是带路,难道去你们家,还要我们给你带路吗?"人家路曼曼说得有道理,都怪安琪儿。

马小跳正想拿安琪儿出气,安琪儿早跑开了。

标准微笑

马小跳带着夏林果和路曼曼回到家里，马天笑先生还没回来。路曼曼马上对夏林果说："我早就知道他是骗你的。"

"我没骗!"

"你就是骗子!"路曼曼拿起茶几上的电话，"你马上给你爸爸打电话!"

"你以为我不敢打?"

马小跳本来就想给马天笑先生打电话。他拨通了马天笑先生的手机："喂，老爸，夏林果来了。对，现在就在我们家，你快回来吧!"

马小跳刚放下电话，路曼曼又和他纠缠上了。

"马小跳，为什么只说夏林果来了，不说我来了，你什么意思呀?"

"没什么意思。"马小跳现在就想气气路曼曼，"我老爸想见的是夏林果，不是你。难道你也想让我老爸照着你的样子设计一个中国娃娃?"

马小跳把路曼曼气得说不出话来。过了好一会儿，她才说出一句话："马小跳，我要喝水！"

马小跳指了指放在饭厅里的饮水机："水在那儿，自己倒！"

"我要你给我倒！"

"难道你没有长手吗？"

"我是客人！"

"什么客人呀？"马小跳用一个手指刮着脸，"请来的人才叫客人，我请你来的吗？"

"你……"

路曼曼咬牙切齿，恨不得把马小跳吃了；马小跳也咬牙切齿，恨不得把路曼曼吃了。

一直在一旁惊恐地看着他们吵架的安琪儿，赶紧去倒了一杯水，给路曼曼端过去。

"路曼曼，你喝水吧！"

"我不喝，我要马小跳给我倒！"

路曼曼一贯争强好胜，如果就那么喝了安琪儿给她倒的水，太没面子了。

这时候，一直在一旁微笑着看他们吵架的夏林果说话了："路曼曼，你还是喝了吧，马小跳是不会给你倒的。"

路曼曼认为夏林果是在讨好马小跳，正想向她开火，这时，马天笑先生回来了。

"老爸，这就是夏林果。"

"马叔叔好！"

夏林果从沙发上站起来。她的微笑很标准，说话也很有礼貌。

马天笑先生并没有像马小跳所想象的那样，见到夏林果后，有如获至宝或被惊呆了的表情，相反，他隐隐约约地有一点点失望。当然，这只有马小跳才看得出来。

马天笑先生的目光很快地从夏林果身上移开，盯住了路曼曼。路曼曼正生马小跳的气，气鼓鼓的样子：脸蛋儿鼓鼓的，眼睛鼓鼓的，小嘴儿鼓鼓的，在马天笑先生的眼睛里，这样子很好玩。

"我知道，你就是路曼曼。我经常听马小跳说起你。"

路曼曼狠狠地瞪了马小跳一眼，又朝夏林果翻翻白眼，这才摆出一副公事公办的面孔说："马叔叔，今天我和夏林果来，是想请你证实一件事情。"

"什么事情？"

路曼曼又瞪了马小跳一眼："你是不是要照着夏林果的样子设计一个中国娃娃？"

八字还没一撇的事情，怎么能到处去说呢？马小跳的这个坏毛病什么时候能改？见马小跳拼命地朝自己挤眉弄眼，马天笑先生还是准备给自己的儿子留点面子。

"是有这种想法。"

"只是一种想法，但是还没有定下来，是不是？"

马天笑先生早就知道路曼曼是个聪明的女孩子，但是没有想到她是这样聪明，简直就是一个小精怪。就在这一刹那，马天笑先生动了照路曼曼这种小精怪形象设计中国娃娃的念头。

见马天笑先生走神了，马小跳就和路曼曼干上了："我爸爸今天见到了夏林果，马上就会照着夏林果的样子，设计出一个中国娃娃，是不是，老爸？"

"嗯？"

马天笑先生回过神来，他看看夏林果，她脸上还是那种标准的微

笑。他心里感到很遗憾：这么漂亮的女孩子，为什么只有一种表情呢？

等路曼曼和夏林果走了以后，马小跳迫不及待地问马天笑先生："老爸，你觉得夏林果怎么样？是不是很漂亮？"

"是很漂亮，可是，她脸上怎么只有一种表情？"

"她平时不是这样的。"马小跳也觉得今天夏林果在他们家的表现，有点反常，"她是不是太想你照着她的样子来设计中国娃娃，才故意做出这种表情的？"

一定是这样的。马小跳学夏林果的样子，脸上挤出一个标准的微笑来。

在马天笑先生的脑海里，一直浮现着路曼曼的小精怪形象。

"那个路曼曼倒有点意思。"

"老爸！"马小跳大叫一声，"你的眼睛是不是出了毛病？那个路曼曼一点意思都没有！"

马天笑先生根本不理马小跳，只顾自说自话："如果照着路曼曼的样子，设计一个小精怪一样的中国娃娃，是不是很可爱？"

"路曼曼一点都不可爱！"马小跳说，"如果她知道你要照着她的样子设计一个中国娃娃，我敢保证，她在你面前的样子，比夏林果还傻！"

　　不能让马天笑先生这么快就把夏林果否决了。马小跳最后的努力，是要让马天笑先生看到一个真实的夏林果，自然的夏林果。

人在什么时候最美

以前,夏林果看见马小跳总是爱理不理的。自从夏林果到他家见过他爸爸马天笑先生后,在学校里,只要她一看见马小跳,就会拉住他问:"马小跳,你爸爸到底决定了没有?"

马小跳装傻:"决定什么?"

"决定是不是照着我的样子设计中国娃娃呀!"

马小跳不会撒谎,不得不实话实说:"我爸爸对你不太满意。"

夏林果脸色大变:"为什么?"

"我也不知道。"马小跳故意激她,"你敢不敢自己去问他?"

夏林果已经向她的爸爸妈妈宣布了,马小跳的爸爸——世界著名的玩具设计师要照着她的模样设计一个中国娃娃。她的爸爸又把这个消息向她的爷爷奶奶宣布了,妈妈也把这个消息向她的外公外婆宣布了。结果,所有的亲朋好友都知道了这个消息。在这样的情况下,夏林果什么都不顾了,她一定要去问问马小跳的爸爸,为什么对她不满意?

这种事情是瞒不过路曼曼的。她心里高兴,却做出生气的样子:"马小跳，怎么搞的?你爸爸怎么会对夏林果不满意?"

马小跳说："少管闲事。"

"我和夏林果是好朋友，夏林果的事就是我的事。"路曼曼说，"如果你爸爸对夏林果都不满意，这个世界上还有能使你爸爸满意的人吗?"

"有。"马小跳脱口而出。

"谁?"

"远在天边，近在眼前。"

路曼曼前后左右都看了，在马小跳眼前的人只有她自己。

"你是说我吗?"

"就是你。"马小跳说，"我都怀疑我老爸的眼睛是不是出了毛病。"

路曼曼想起那天在马小跳家，马天笑先生看她的时间的确比看夏林果的时间还长，她有点相信真有这么一回事了。但路曼曼是个做什么事都要十拿九稳的人，她也想到马小跳家去问问马天笑先生。

下午放学后，夏林果跟着马小跳，路曼曼也跟着马小跳。

马小跳对路曼曼说："你跟着我干什么?"

路曼曼说："夏林果跟着你干什么，我就跟着你干什么。"

马小跳说："夏林果是夏林果，你是你。"

路曼曼说："我是夏林果的好朋友，夏林果的事就是我的事。"

夏林果突然对他们俩大声吼道："烦死啦！"

夏林果生气的样子好可怕！马小跳和路曼曼赶紧闭紧嘴巴。

到了马小跳家，马天笑先生正在书房搞设计。那天，路曼曼给了他许多灵感，他已经照着路曼曼的模样设计出一个像小精怪一样可爱的中国娃娃。

"老爸，夏林果和路曼曼来啦！"

"马叔叔好！"

路曼曼的脸上现出标准的微笑，然后，就一直保持着这样的表情。

夏林果虽然也叫了一声"马叔叔好"，但听得出来是不高兴的语气。而且，马天笑先生还发现，那天一直挂在夏林果脸上的标准微笑已经荡然无存，而且好像转移到了路曼曼的脸上。"马叔叔，你为什么对我不满意？"

夏林果脸上的表情丰富极了，她那又黑又长的睫毛垂下来像花蕾一样，鲜艳的嘴唇嘟起来，活脱脱就是一个妩媚的中国娃娃。

马天笑先生装腔作势："谁说我对你不满意?是马小跳说的吗?夏林果同学，我现在就可以告诉你，我对你非常满意。"

"真的!"夏林果眉开眼笑，眉毛弯弯的，眼睛弯弯的，嘴巴弯弯的，跟那天一直保持着标准微笑的夏林果，简直判若两人。

"老爸万岁!"

马小跳比夏林果还要激动，还要高兴。

马天笑先生似乎已经忘记了路曼曼的存在，他的注意力一直在夏林果的身上。路曼曼叫了一声"马叔叔"，她的脸上还是那种标准的微笑。马天笑先生挺纳闷的:今天的路曼曼怎么跟那天那个像小精怪一样灵动的路曼曼判若两人?

马小跳也觉得奇怪。

等夏林果和路曼曼走了以后，马小跳问马天笑先生:"老爸，你身上是不是有魔法呀?那天，夏林果见了你，一下子变成另外一个人;今天，路曼曼见了你，也一下子变成了另外一个人。"

"那是因为她们都想把自己最美的样子做给我看。但是，她们不知道，美是做不出来的，人只有在最自然的状态下，才是最美的。比如那天的路曼曼，比如今天的夏林果。"

　　路曼曼和夏林果，这两个在马小跳心目中绝顶聪明的女孩子，为什么连这么简单的道理都不懂？是不是人在一些自以为关键的时候，反而会弄巧成拙？

聪明女孩路曼曼

2

同桌冤家

在上幼儿园的时候，马小跳和路曼曼就是一个班上的。那时候，幼儿园的老师就让路曼曼管马小跳，因为路曼曼是幼儿园里最乖最乖的乖娃娃，是老师的小帮手。马小跳呢，是幼儿园里最淘气最淘气的淘气包，光靠老师来管他，根本就管不过来。

路曼曼很听话，老师叫她管马小跳，她可以从早到晚都盯着马小跳。中午睡觉，她盯着马小跳，一直盯到马小跳闭上眼睛睡着了，她才肯闭上眼睛。

不知为什么，马小跳那时候不仅不讨厌路曼曼，还很喜欢她。班上有那么多女孩子，其他女孩的名字，马小跳一个都记不住，路曼曼的名字他却天天挂在嘴上。

"妈妈，路曼曼今天又得了一朵小红花，她得的小红花最多。"

"妈妈，路曼曼今天又被表扬了，老师表扬她吃饭吃得多，睡觉睡得好。"

路曼曼得了小红花，路曼曼被表扬，马小跳比路曼曼还高兴。

马小跳崇拜路曼曼，不是一个秘密，但是他喜欢路曼曼，就是一个秘密了。当然，现在马小跳早就不喜欢路曼曼了。这个秘密他没有对任何人讲过，更没有对张达、毛超和唐飞他们讲过，尽管他们好得绝对不允许有自己的秘密，但马小跳还是没有把这个秘密贡献出来让大家分享。如果让他们几个知道，马小跳在上幼儿园的时候曾经喜欢过路曼曼，那么他们几个不笑死才怪。

马小跳已记不清楚他是从什么时候开始不喜欢路曼曼的，只是有一件事他一直无法忘记。

一年级的小学生放学走在路上，都会排成两路纵队，男生一路，女生一路，手牵手地走。马小跳排的位置正好和路曼曼排的位置对应起来，马小跳很高兴，也很激动，他喜欢路曼曼，他把她的小手握得很紧，路曼曼却甩开他的手，去牵丁文涛的手。

丁文涛是个像小大人一样的小男生，头发梳得光光的。才读一年级，丁文涛已经会认一千多个汉字，会做乘法题、除法题，不仅老师喜欢他，像路曼曼这样的女生也喜欢他。

路曼曼不愿意牵马小跳的手，马小跳还不是太生气。但是，路曼曼不牵马小跳的手却去牵丁文涛的手，马小跳就很生气了。

路曼曼爱向老师打小报告，马小跳也要向老师打路曼曼的小报告。

"秦老师，路曼曼不牵我的手。"

路曼曼马上说："他故意捏痛我的手。"

秦老师就批评马小跳，说他欺负女同学。

马小跳心里委屈极了，他真的没有故意捏痛路曼曼的手。马小跳纵然有一百张嘴，秦老师也不会相信他，她只相信路曼曼。路曼曼是好学生，马小跳是淘气包。

也许就是因为这件事情，马小跳从此不再喜欢路曼曼。

到了三年级，马小跳的淘气已达到了相当的水平。班主任秦老师总不能天天跟在马小跳的屁股后头，堂堂课都盯着他吧，秦老师得找个小帮手，帮她来管马小跳。这个小帮手必须认真负责、铁面无私。而中队长路曼曼，是秦老师心目中最最合适的人选。

路曼曼从小学一年级就当中队长，一直当到现在，一直就是秦老师最得力的小帮手。

秦老师非常慈爱地看着路曼曼，她看路曼曼的眼神与看马小跳的眼神完全不一样。

"我要安排你去跟马小跳同桌，目的是用你的行为去影响他，帮助他。怎么样，你愿意吗？"

"秦老师，我愿意。"

其实，路曼曼心里一千个不愿意，一万个不愿意。她心里最愿意跟学习委员丁文涛同桌。丁文涛和马小跳完全是两个世界的人。马小跳喜欢淘气，丁文涛喜欢看书。他看了很多很多的课外书，所以他知识渊博，天上地上没有他不懂的，人称"小百科"。能跟他同桌，一直是路曼曼的一个梦想。

但老师的话，路曼曼是一千个服从，一万个服从，她毫不犹豫地表示她愿意跟马小跳同桌。

秦老师拿出一个小本子交给路曼曼，让她随时把马小跳的不良表现记录下来，每天放学之前交给她看，这样，她便可以及时地对马小跳进行帮助教育。

路曼曼跟马小跳同桌的第一天，脸上的表情有些悲壮。马小跳对她笑，但她不对马小跳笑。

"路曼曼，你那么严肃干什么？"马小跳跟路曼曼套近乎，"说起来，我们俩的关系还很不一般呢。在幼儿园，我们就在一个班。中午睡觉，

瞧，这群傻丫头

我们还是上下铺呢!"

路曼曼根本不理他,只在那个小本子上不停地记呀记呀……

马小跳感觉到了路曼曼对他的冷淡,突然觉得她很陌生:这是那个他在三岁的时候就暗暗喜欢的路曼曼吗?幸好马小跳现在没有再暗暗地喜欢她了。

当马小跳知道路曼曼是秦老师派来管他的后,便决定给路曼曼一个下马威。

上数学课时,路曼曼站起来回答老师的问题,马小跳用脚把路曼曼的椅子一点一点地蹭到一边去了。这都是马小跳的脚下动作,他的上半身仍然坐得端端正正,眼睛看着数学老师,有时还微微地点头,这是听课听得入迷的表情。

"路曼曼同学回答得非常好,请坐。"

数学老师的话音刚落,便听到咚的一声——路曼曼坐到地上了。

哈哈——

教室里笑得人仰马翻。

数学老师暴跳如雷:"谁干的?"

谁都知道是马小跳干的。

路曼曼很坚强，换了别的女生早就哭了。她没有哭，她不顾屁股痛，站起来就在那个记录马小跳不良表现的小本子上记起来。

这对同桌冤家的战争，就这样拉开了序幕。

两个人的战争

马小跳和路曼曼之间，天天都有战争要发生。

挑起战争的往往是马小跳，全副武装，披挂上阵，频频向路曼曼发起进攻。其实，他很多时候是虚张声势。路曼曼不动声色，一逮住机会，便暗中予以还击。

数学老师每天都要布置一百道口算题，错一道题罚做十道题。接连几天，马小跳都有错题，被罚得晕头转向。他发现路曼曼的口算题从来不会有一道错题，再做口算的时候，他做完一道题，眼睛便会瞟到路曼曼的本子上，对一下答案。发现有错，马上改正。

马小跳的口算题，破天荒地一道题都没错，得了一百分，还得了一个红五星。

数学老师把马小跳好好地表扬了一番。他说世界上怕就怕"认真"二字，像马小跳这样的同学，做一百道口算题，都没有错一道题，那还有什么事情可以难住我们呢？

马小跳挨批评的时候多，受表扬的时候少，一时间云里雾里，飘飘然起来。他看路曼曼的口算本上只有一百分，一百分旁边没有红五星，便指着他本子上的红五星，故意问路曼曼："你看，这是什么？"

路曼曼不理他。

马小跳又拿起路曼曼的口算本，故作惊讶地说："路曼曼，你怎么没有红五星？"

"有什么好得意的？"路曼曼一把抢过她的口算本，"你还不是抄我的。"

"谁抄你的？你有什么证据？"

路曼曼没有证据。这一回合，马小跳占了上风。

等再做口算题的时候，路曼曼知道马小跳还会偷偷地跟她对答案，便故意做错题，一百道题中起码有一半以上的题的答案都是错的。

"今天怎么错了这么多题？"

马小跳用橡皮擦掉正确的答案，抄上错误的答案，还暗暗庆幸：幸好对了路曼曼的答案，不然明天，数学老师会罚死他。

路曼曼等马小跳把错误的答案抄了去后，马上用橡皮擦掉错误的答案，写上正确的答案。

路曼曼做的这一切，马小跳当然不知道。他还美滋滋地盼望明天上

数学课时，数学老师再好好地把他表扬一番。

第二天上数学课，数学老师铁青着脸，走进教室，目光落到马小跳的身上，马小跳心惊肉跳。

"马小跳！"

数学老师把马小跳的口算本扔到马小跳的桌子上，马小跳只看了一眼，满眼都是红叉。

"马小跳，昨天才表扬了你，你今天就翘尾巴了？"

马小跳的手，不由自主地去摸了一下屁股，屁股上没有尾巴。

马小跳想到什么就说什么："我没有尾巴。"

马小跳说的声音小，数学老师没有听清楚，他以为马小跳说的是"我没有翘尾巴"，这更是火上浇油，气上加气。

"你还说没有翘尾巴？你没有翘尾巴，怎么会这样？"

数学老师本来声音就大，因为生气，声音更大了，震得教室的窗玻璃都哗啦哗啦地响。

"一共才一百道口算题，你就错了五十三道……"

数学老师后面的话，马小跳一个字都没听进去。他已经晕了，怎么会这样呢?他是跟路曼曼对了答案的呀!

下了课,数学老师把马小跳带到办公室,继续批评教育。

马小跳还是一句都没听进去。他脑子里一直在想这么一个问题:我错了五十三道题,路曼曼又错了多少道题呢?

这个问题折磨着马小跳,如果他不把这个问题搞清楚,他会憋得很难受的。

数学老师说话像打机关枪,嗒嗒嗒!嗒嗒嗒!简直停不下来,也不让人插话。

趁数学老师吞口水清嗓子的短暂空当,马小跳终于鼓起勇气,问了一句:"路曼曼错了几道题?"

"你还好意思问人家路曼曼?好吧,我就让你看看人家路曼曼的口算作业。"

数学老师翻出路曼曼的口算本,几根手指头飞快地翻到昨天做的那一页,放在马小跳的面前。马小跳看了一眼,满眼都是红钩钩,还有一个一百分。

不会吧?昨天马小跳对的就是路曼曼的答案,怎么可能他错了五十三道题,而路曼曼全部正确?肯定是数学老师批改作业的时候,一不小

心，批错了。

马小跳想到什么就会说什么："老师，你会不会批错？"

数学老师愣了一下："我怎么会批错？"

马小跳一本正经地帮数学老师分析起来："你会不会因为路曼曼做口算题从来都做得好，你就没有仔细去看，只顾在她的本子上画红钩钩……"

马小跳没敢再说下去，因为数学老师看他的表情很怪——他还真被马小跳说中了。

数学老师心里七上八下的。他把路曼曼昨天做的那一百道口算题，从头到尾，仔仔细细地看了一遍，又用计算器验算了一遍。当他再抬起头来看马小跳的时候，脸上的表情已经不怪了。

"马小跳，你是不是想路曼曼也跟你一样，错很多题？"

马小跳有口难辩。他是哑巴吃黄连，有苦说不出。

这一天，对马小跳来说，简直是暗无天日——错了五十三道题，每错一道题，罚做十道题。你算一算，马小跳被罚做了多少道题？

这次教训是深刻的，也是难忘的。马小跳以后做口算题，就会想到那暗无天日的一天，再也不敢大意，更不敢去对路曼曼的答案，他怕再次遭到暗算。

后来，马小跳的口算作业又得了好几个一百分，但数学老师都不敢表扬他，怕他第二天又翘尾巴。

想引起女生的注意

马小跳有时候很羡慕唐飞。

唐飞的座位在马小跳的后面,他的同桌是全班长得最好看的女生夏林果,唐飞和夏林果从来不吵架,但他们特别喜欢看马小跳和路曼曼吵架, 就像看免费电影。

马小跳问唐飞:"你和夏林果为什么不吵架?"

唐飞说:"夏林果从来不管我。"

唐飞喜欢带东西到学校里来吃,他最怕别人向他要东西吃。夏林果从来不向他要东西吃,她从五岁起就开始练芭蕾舞,要保持体形,所以她吃东西吃得很少。对唐飞来说,这是夏林果身上最大的优点。

唐飞是知道怎么可以气死马小跳的。他添油加醋,说夏林果怎么怎么好,好得一塌糊涂,好得像小仙女下凡。马小跳果然上当,越听越气,越听越气。真是人比人,气死人。看唐飞像企鹅一样的呆相,他的命怎么就那么好?他马小跳的命怎么就那么苦呢?

马小跳是个不会向命运低头的人,凭什么夏林果可以做唐飞的同桌，就不能做他的同桌？

马小跳去找秦老师。

"秦老师，我想跟夏林果同桌。"

秦老师似乎很吃惊又很感兴趣。她锐利的目光像钉子一样，钉在马小跳的脸上，其实也就是几十秒钟，但马小跳却觉得像有一个世纪那么长，令他有点缓不过气来。

"为什么想跟夏林果同桌？"

理由太多了，说都说不完。

马小跳抓住一条最主要的理由说了："我不会和夏林果吵架。"

秦老师反问马小跳："你既然可以不和夏林果吵架，为什么又要和路曼曼吵架呢？"

"路曼曼要管我，还每天拿个小本子在那里记呀记呀……"

"马小跳，是我让路曼曼管你的，那个小本子也是我给路曼曼的，我让她把你的表现记在上面。"

马小跳从秦老师办公室出来时，已经心灰意冷了——他无法改变他和路曼曼同桌的命运。

马小跳如此向往和夏林果同桌，可人家夏林果一点儿都不知道。她

是跳芭蕾舞的，跳芭蕾舞的人走路都那样：腰板挺得笔直，下巴抬得老高，眼睛平视前方。她就坐在马小跳的后面，每天要从马小跳的身边经过无数次，可她从来不理马小跳，看都不看一眼，因为她的眼睛总是平视前方。

马小跳很想引起夏林果的注意。他见夏林果的桌子上有一块漂亮的香水橡皮，便故意用衣袖一拂，把香水橡皮拂到地上去了。

马小跳看夏林果有什么反应。

夏林果什么反应都没有。她的眼睛平视前方，根本看不见马小跳的小动作，她没有看见自己的香水橡皮掉到地上了。

"夏林果，你的橡皮掉地上了。"

唐飞十分困难地弯下他又笨又胖的身子，把那块香水橡皮捡起来，放在夏林果的铅笔盒里。

竹篮打水一场空，马小跳白费了心思，他恨唐飞乱献殷勤。

马小跳还是想引起夏林果的注意。如果能惹她生气，也许能引起她的注意。

马小跳把他坐的椅子往后靠，把后面的桌子顶得倾斜起来。夏林果不做声，只是把桌子往后拉一拉，桌子又平了。

马小跳得寸进尺，再把椅子往后靠。夏林果的座位已经很窄了，但她仍不做声，把桌子往后再拉一拉。

马小跳不达目的，誓不罢休。他几乎躺在椅子上了，后面的桌子已经压在了夏林果的身上。

"马小跳！"路曼曼大吼一声，"你欺负女同学！"

唐飞在一旁附和道："马小跳，你欺负女同学算什么呀？"

马小跳恼羞成怒："我欺负女同学，跟你有什么相干？"

"怎么没有相干？"唐飞亮出他全是泡泡肉的胳膊，"我是路见不平，拔刀相助。"

夏林果本来没有哭，但听路曼曼和唐飞左一个"欺负女同学"，右一个"欺负女同学"，她便伤心地哭起来了。

看见夏林果哭，马小跳的心里也不好受，他真的没有要欺负夏林果的意思，他所做的一切，只是想引起夏林果的注意。

马小跳欺负女同学的这一不良表现，肯定会被路曼曼记在那个小本子上，交到秦老师那里去。

果不其然，下午放学，路曼曼就来传达秦老师的指示了。

聪明女孩路曼曼

"马小跳，放了学不准走，到秦老师的办公室去。"

马小跳拖着沉重的双腿，来到秦老师的跟前。

"马小跳呀马小跳，我真是搞不懂你。"秦老师真的像读一本不太好懂的书一样读着马小跳的脸，"你不是说想跟夏林果同桌吗？怎么又去欺负她呢？"

马小跳有口难言。尽管他口无遮拦，心里永远存不住话，但也不是所有的话都能够说出来的。

马小跳从来没有恨过自己，但是今天，他恨自己。他希望能发生一些事情——比如，有坏人绑架了夏林果，把她关在荒野的一间小屋里。这时候警察不能去救夏林果，因为怕绑匪撕票，就派他去深入虎穴。马小跳冒着枪林弹雨，深入虎穴，他挺身对绑匪说："你们把她放了，把我绑起来吧！"

绑匪乖乖地把夏林果放了，又乖乖地把马小跳绑起来。马小跳宁死不屈，跟绑匪进行了英勇斗争，最后……

马小跳本来想"最后光荣牺牲"，但他实在不愿意牺牲，就一路想下去，想的都是不牺牲的情节，沉重的脚步也渐渐地轻快起来。

帮冤家拉选票

　　最近几天，路曼曼有点心事重重的样子。

　　学校要改选大队委了，路曼曼想当大队委，最好能当大队长。她现在是中队长，胳膊上别着两道杠，只管班上的事情。如果她当上了大队委，胳膊上就会别着三道杠，管的就是全校的事情，会经常去学校的大队部，像领导干部那样，坐在会议桌边，讨论学校的大事；每周的升旗仪式上，大队委们还会轮流上台去担任司仪。总之，当上了大队委，无论是一年级的小同学，还是六年级的大同学，谁都会认识你，能迅速成为闻名全校的名人。

　　路曼曼一心想出名。夏林果就比她有名，因为夏林果在学校表演过

几次芭蕾舞，全校几乎每一个同学、每一位老师都认识她。每次她跟夏林果走在一起的时候，都会有人在后面指指点点："看，夏林果！"

这次改选大队委，班上有三个候选人：路曼曼、夏林果和丁文涛，三个人中只能选一个。其实三个人中，只有路曼曼一心想当大队委，夏林果的心中只有芭蕾舞，丁文涛的心中只有考试成绩排行榜，当不当大队委，对他们俩来说，都不重要。

路曼曼开始拉选票了。她不放过每一张选票，包括她的同桌冤家马小跳的那一张选票。

路曼曼从来不主动跟马小跳说话，这回是第一次。

"马小跳！"

"干什么？"

马小跳正在做作业，没犯什么事，所以理直气壮。"马小跳，你准备选谁当大队委？"

"反正不是你。"

马小跳回答得斩钉截铁。他早就拿定了主意：他要选夏林果。

"马小跳，你傻不傻呀？"路曼曼靠近马小跳，她第一次这么靠近马小跳，"如果我当上了大队委，就不会像现在这样管你了。"

"真的？"

马小跳半信半疑。

"你想想，大队委管的都是学校的大事情，哪会有闲工夫管你呀！

马小跳想想也是：他马小跳算什么？让一个大队委来管他，真是大材小用。

马小跳还有一个顾虑：路曼曼不管他了，秦老师会不会派别的人来管他？不过，谁管他都比路曼曼管他好。说不定，秦老师还会派夏林果来管他呢！

哈哈，真是喜从天降！

马小跳怦然心动，想入非非。他不仅要把他的选票投给路曼曼，他还要把他的三个铁哥们儿的选票、女生安琪儿的选票，统统都拉给路曼曼。

马小跳对安琪儿手中的这张选票，非常有把握。安琪儿家跟他家在同一幢楼同一个单元的同一层楼上，门对门，他只要给安琪儿随便玩个小魔术，叫安琪儿干什么，安琪儿就会干什么。

马小跳把安琪儿叫到他家去，先给她玩了一个小魔术，然后问她：

create

087

"你选谁当大队委？"

安琪儿肯定不会选丁文涛。她最不喜欢丁文涛，丁文涛跟她讲话，开口永远是"我告诉你"，闭口永远是"你懂不懂"。他这么瞧不起她，她就不选他。那么，安琪儿的这张选票，选路曼曼也行，选夏林果也行。但是安琪儿知道马小跳最不喜欢路曼曼，人家刚才又给她表演了魔术，如果说选路曼曼，他肯定会不高兴。

"我选夏林果。"

"不行！你得选路曼曼，我也选路曼曼。知道这是为什么吗？"

安琪儿摇摇头。

马小跳给安琪儿讲了很久，安琪儿终于听明白了。

"我明白了。"安琪儿说，"路曼曼当上了大队委，她去管学校的大事，就不会管你了。好吧，我一定选路曼曼。"

就这样，马小跳轻而易举地帮路曼曼拉到了一张选票。

张达、毛超和唐飞的选票，就没有安琪儿的选票那么好拉了。

马小跳去问他们准备选谁当大队委？

不约而同地，他们三个几乎是异口同声："选夏林果。"

马小跳一听就急了："不行，不准你们选夏林果。"

"你不准我们选夏林果，难道要让我们选路曼曼？"

他们都知道马小跳和路曼曼是同桌冤家。

"对，就是要让你们选路曼曼。"

毛超去摸马小跳的额头："马小跳，你没有发烧吧？"

"我比任何时候都清醒。"马小跳推开毛超的手，"求你们选路曼曼吧！让她去当大队委吧！这样，她去管学校的事情，就不会管我了。"

唐飞一心要选夏林果当大队委，他说选路曼曼对马小跳有好处，对他们几个又没什么好处。

马小跳懂唐飞的意思。他站在路边东张西望。

"马小跳，你在找什么？"

"我在看这附近有没有提款机。"马小跳像一个大款，"今天，我请客。"

"我知道哪儿有！"

唐飞比任何人都积极。

几个人前呼后拥，拥着马小跳来到一台提款机旁。

马小跳摸出卡来，插进入卡口，屏幕上显示"请输密码"。

马小跳回头看着他们，他们都不明白马小跳是什么意思。"我要输密码了，你们站到黄线后面去。"

一看地上，果然有一条黄线。刚才他们凑得太近了，他们想看马小跳是怎样取钱的。

等他们都站到黄线后面，马小跳才不慌不忙地输了密码，提款机吐出二十元钞票来。

有了二十元钱，马小跳更像大款了。

"说吧，想吃什么？"

"二十元钱能吃什么呀？"唐飞说，"只能吃羊肉串。"

羊肉串一元一串，二十元买了二十串，一人五串，吃得满嘴流油。

看他们吃得高兴，马小跳再一次叮嘱道："一定要选路曼曼，记住了吗？"

他们的嘴里塞满了羊肉，说得含含糊糊，听不清楚他们是怎么回答马小跳的。

羊肉串都白请了

虽然张达、毛超、唐飞一人吃了马小跳买的五串羊肉串，但他们还是没有选路曼曼当大队委。

那天选大队委，采用的是无记名投票的方式，就是在选票上，写上三个候选人的名字：路曼曼、丁文涛、夏林果，每个同学只能在这三个候选人中选一个，在这个名字前边画一个圈，不能在选票上写任何字，更不能写自己的名字，否则，就不叫无记名投票了。

秦老师说，人民代表就是用这样的方式选出来的；国家主席和国务院总理也是用这样的方式选出来的。每个同学都要严肃认真地对待自己手中的选票。

听秦老师这么一说，张达、毛超、唐飞都觉得应该严肃认真地对待自己手中的选票。他们想选的人是夏林果，总不能因为吃了马小跳买的几串羊肉串，就违心地去选路曼曼吧？这样做，也太不严肃、太不认真了。再说，在选票上又不写名字，马小跳怎么知道他们选的是谁？

张达在夏林果的名字前边画了个圈。

毛超在夏林果的名字前边画了个圈。

唐飞在夏林果的名字前边画了个圈。

马小跳拉了一阵选票，结果只有安琪儿和他自己在路曼曼的名字前边画了圈。马小跳的那个圈，画得特别大，特别圆。

把选票收上来，秦老师说要选一个同学上台来唱票，选一个同学上台来计票。

唱票的人，声音一定要洪亮，这非毛超莫属；计票的人只要会写"正"字就行，秦老师选了一个女同学上来计票。

毛超用唱歌的声调，拖声拖气地唱着选票上的名字。

"路—曼—曼！"

"夏—林—果！"

"夏一林一果!"

"毛超，谁叫你这么唱票的?"

毛超以为唱票就是把选票上画了圈的名字，用唱歌的声调唱出来。他一脸茫然地看着秦老师："不这样唱，应该怎样唱?"

秦老师说："你清清楚楚地把名字念出来就行了。"

唱票不唱，何必又要叫唱票呢?

毛超念一个名字，那个计票的女生就在黑板上画一笔。

没有几个人选丁文涛，他的名字下只有一个"正"字，路曼曼和夏林果的名字下已各有四个"正"字。

"夏林果!"

"路曼曼!"

路曼曼的得票和夏林果的得票不相上下。路曼曼十分紧张，手指冰凉；马小跳比路曼曼还紧张，他头顶冒汗，拼命地向毛超挤眉弄眼，巴不得从他嘴巴里念出来的都是路曼曼的名字。

还剩最后一张选票了。

"夏林果!"

就这么一票，便一锤定音:夏林果就以比路曼曼多一票的优势，当

聪明女孩路曼曼

选为大队委。

路曼曼是中队长，还得继续管马小跳。

"马小跳，不许去玩，把课文背三遍。"

下课的时候，马小跳带着乒乓球拍正要冲下楼去占乒乓球桌，路曼曼从他手中夺下乒乓球拍，命令他背课文。

马小跳跟路曼曼套近乎："看在我帮你拉选票的分上，求你放我一马。"

路曼曼根本不买他的账："谁让你帮我拉选票了？"

"我真的帮你拉了选票。"马小跳说，"我还请张达、毛超、唐飞他们三个，每人吃了五串羊肉串。"

"你请他们吃羊肉串，跟我有何相干？"

马小跳真是哪壶不开提哪壶，路曼曼因为没被选上大队委，已哭了好几场，现在马小跳又提起她的伤心事，路曼曼正好拿他出气。

马小跳已经背了课文，可路曼曼就是不让他走，偏在鸡蛋里面挑骨头，让他背了一遍又一遍。等到她同意放马小跳走时，上课铃却响了。

就因为马小跳又提起选大队委的事，所以路曼曼根本没有办法集中精力来听课。

秦老师请一位同学归纳课文的中心思想，秦老师不太满意。又请了一位同学来归纳，秦老师有点满意了，但还不是十分满意。要使秦老师十分满意，只有请路曼曼来回答。

"路曼曼！"

路曼曼站了起来。刚才她心猿意马，不知道秦老师要她干什么。

马小跳悄声告诉她："背诵课文。"

路曼曼松了口气，清了清喉咙，便流利地背诵起来。

课文背到一半，教室里就有笑声。秦老师那张一见到路曼曼就有笑容的脸，也变得难看起来。

"停！"秦老师走到路曼曼的跟前，"路曼曼，你上课没有听讲，思想开小差了？"

哈，路曼曼也有挨批评的时候！

马小跳向秦老师揭发路曼曼："她没有被选上大队委，她就不好好上课。"

秦老师的脸色更难看了："路曼曼，是这样的吗？"

路曼曼恨死马小跳了。

聪明女孩路曼曼

"我没有。"路曼曼不是那么容易就被马小跳打倒的，她反戈一击，"马小跳故意让我出丑。是他叫我背课文的。"

秦老师的目光从路曼曼的身上移到马小跳的身上，看得马小跳心里发虚。

"马小跳，下了课到我办公室去。"

下了课，路曼曼拿着马小跳的乒乓球拍打乒乓球去了，马小跳却不能去，他得到秦老师的办公室去。

马小跳想不通：路曼曼上课思想开小差，却要他马小跳去站办公室，还讲不讲理呀？

路曼曼病了

　　路曼曼从来不迟到。可是今天，都打上课铃了，路曼曼还没来。

　　哈，中队长也会迟到！

　　路曼曼的优点太多，要找出她身上的缺点，就像登天那么难。每当马小跳发现了她的一个缺点，就会高兴得手舞足蹈，这时候，他的心里就会很平衡：中队长还不是跟他马小跳一样有缺点。

　　上完一节课，路曼曼还没来。

　　哈，中队长也会旷课！

　　旷课比迟到还严重。马小跳觉得应该把这个严重的问题，立即报告给秦老师。

"秦老师！秦老师！"就像报告火警一样，马小跳一路大呼小叫，来到秦老师的办公室，"路曼曼旷课了！"

"什么旷课了？"秦老师白了马小跳一眼，"人家路曼曼生病了，请了病假。"

"哦，路曼曼生病了？"

路曼曼和马小跳的恩恩怨怨、是是非非、疙疙瘩瘩，刹那间都在马小跳的心中荡然无存。马小跳的心中，现在牵挂的是路曼曼的病：她是发烧了？还是拉肚子了？因为他自己生病，不是发烧，就是拉肚子。

"秦老师，我能不能去看路曼曼？"

"可以。"秦老师答应得很爽快，"下午放学后，你和夏林果、丁文涛一块儿去。夏林果代表学校大队委，丁文涛代表班上中队委，你呢，就代表全班同学……"

秦老师还说了些什么，马小跳已经听不见了，他只听得见他的心怦怦地跳着，快从喉咙里跳出来了。马小跳长这么大，第一次做全班同学的代表。

下午放学，马小跳看见夏林果和丁文涛走在一起，便抛下张达、毛超和唐飞，追了过去。

"还有我！还有我！"

夏林果莫明其妙，不知道马小跳说的"还有我"是什么意思。

"秦老师说，让我代表全班同学，和你们一道去看路曼曼。"

"让你代表全班同学？"丁文涛用了很夸张的腔调，表示怀疑。

"不信，你们去问秦老师。"

"我是担心——"丁文涛吞吞吐吐，"你去了会不会加重路曼曼的病情？"

"为什么我去会加重路曼曼的病情？"

"因为路曼曼看见你就会生气。"

眼看着马小跳就要和丁文涛打起来，夏林果赶紧横在两个人中间。

三个人一起向路曼曼家走去。

丁文涛还在肚皮里跟马小跳打官司，马小跳早就没事了。

"我们总不能这样空着手去看路曼曼吧？"

马小跳很调皮、很淘气，但也很有人情味。

丁文涛说："我身上可没带钱。"

其实，丁文涛身上有钱，就藏在内裤的内袋里。他妈妈给他的每一

Cong ming *nü hai* Lu Manman

条内裤都缝了一个秘密的内袋，那就是装钱的地方。

夏林果说："我有三元钱。"

马小跳说："我有六元钱。"

马小跳的这六元钱，是准备买这个月新出版的漫画书的。

夏林果说："把我们俩的钱合起来，我们去买束鲜花送给路曼曼。"

"买花没意思。"马小跳不同意，"花只能看，不能吃。要买就给路曼曼买吃的。"

马小跳是这样想的：如果他生病了，他才不希望别人送花给他，他希望别人送吃的给他。

夏林果是这样想的：如果她生病了，她才不希望别人送吃的给她，她希望别人送花给她。

夏林果要送花，马小跳要送吃的，两个人互不相让。结果，夏林果去花店买了一小束蓝色的小菊花；马小跳去一家西饼屋，买了一袋刚烤好的巧克力核桃小西饼。

来到路曼曼的病床边，夏林果献上那束蓝色的小菊花，路曼曼夸张地惊叫道："哇，好漂亮好漂亮的花！"

马小跳紧接着献上那袋香喷喷的巧克力核桃小西饼，路曼曼只说了声："谢谢，放在桌上吧！"

夏林果朝马小跳得意地一笑：看，路曼曼喜欢她送的小菊花，不喜欢他送的小西饼。

其实，路曼曼是喜欢小西饼的，她已经闻到了小西饼的巧克力香味，她现在就想吃，可是当着他们的面，特别是当着丁文涛的面，她得装着不想吃的样子。她打算等他们走了再吃。

"马小跳，你怎么也想起来看我了？"

"我是代表全班同学来看你的。"

如果换一个人代表全班同学，路曼曼还能接受。可马小跳代表全班同学，路曼曼心里就有点不舒服。

马小跳看出了路曼曼心里有点不舒服，便高声声明道："是秦老师让我代表全班同学，让丁文涛代表中队委，让夏林果代表大队委……"

路曼曼一看见马小跳，就想管他。

"马小跳，《古诗二首》你背了没有？"

马小跳以为今天路曼曼生病了，他可以不背《古诗二首》。

"路曼曼，你看你都生病了，还管我背《古诗二首》？"

"你背不背?"

不知怎么了,刚才路曼曼还像个病人,现在管起马小跳来,一点都不像病人。

难道马小跳比给路曼曼治病的药还灵?

马小跳后悔了,后悔他来看路曼曼。这不是自己找上门来让路曼曼管吗?

路曼曼见马小跳不服她管的样子,就叫夏林果把她的书包拿来。

"你都生病了,还拿书包干什么?"

"我要拿小本子,记马小跳不背《古诗二首》。"

马小跳见路曼曼已经把小本子从书包里拿出来了,便赶紧拦住她:"我背!我背!"

马小跳背了一遍,路曼曼说他背错了两个字的音。

马小跳背第二遍,路曼曼说他背得没有感情。

马小跳又声情并茂地背第三遍,感情丰富得过了头,还加了动作,夏林果和丁文涛都偷着笑,路曼曼实在忍不住,也笑了。

马小跳不想再在路曼曼家呆下去了,想走。路曼曼的奶奶却拦住马小跳，不让他走，说他医好了路曼曼的病，一定要留他吃晚饭。

　　真是的，在马小跳来之前，路曼曼好像还病得很厉害；马小跳来了以后，她整个心思都扑在马小跳身上，病一下子就好了，人也精神了许多。

　　路曼曼奶奶的意思是，马小跳简直就是一剂治病的良药。为了快点把路曼曼的病治好，马小跳只好留下来了。

路曼曼的灵丹妙药

路曼曼的奶奶把马小跳当成灵丹妙药，一剂可以把路曼曼的病医好的灵丹妙药，本来她只想把马小跳留下来吃晚饭，可路曼曼硬要把夏林果和丁文涛也留下来吃晚饭。

晚饭还没有做好。

丁文涛和夏林果都在路曼曼的跟前，可路曼曼的眼睛里只有马小跳，好像另两个人都不存在。

马小跳去翻路曼曼的书架，看她有没有漫画书，马小跳只喜欢看漫画书。

"马小跳，不准乱动别人的东西！"

马小跳赶紧缩回自己的手。

马小跳在房间里东看看，西瞧瞧，一屁股坐在路曼曼的床上。

"马小跳，不可以坐女生的床！"

"那我坐哪里？"

路曼曼指着放在门边的一把椅子："坐到那把椅子上去。"

马小跳只好坐到门边的那把椅子上，像个犯人，手脚都不知道往哪里放。

马小跳浑身不自在，他咚的一声站起来。

"马小跳，你要干什么？"

马小跳说："我要回家！"

"不许回家！"路曼曼提高了嗓门儿，"我奶奶要你留下来吃晚饭！"

路曼曼的病真的好了。谁见过有病的人，会有这么好的精神、这么大的嗓门？

路曼曼的奶奶听说马小跳要走，赶紧从厨房里跑过来："马小跳，你不能走。你看你一来，我们曼曼的病就好了！"

马小跳十分委屈："她老管我！"

"你就让她管吧！"夏林果在马小跳的耳边悄声说，"你就当你是医生，救死扶伤。"

听了夏林果的话，马小跳想笑，没想到夏林果还挺幽默的。

丁文涛看见夏林果在跟马小跳说悄悄话，心里不舒服，就想让马小跳走。

"马小跳，如果你真的想走，你就走吧！"

Cong ming *nü hai* Lu Manman

"要走你走。"路曼曼的奶奶不喜欢丁文涛，觉得他鬼头鬼脑，像个小大人。她摸摸马小跳的脑袋瓜，说："你是不是肚子饿了？来，先把这点心吃了。"

路曼曼的奶奶不知道那袋巧克力核桃小西饼是马小跳买来送给路曼曼的。她拿出一块小西饼，递到马小跳的手上。马小跳刚伸手接住，只听路曼曼大叫一声："马小跳，你手都没洗，怎么可以吃东西呢？"

马小跳一惊，手中的小西饼摔在了地上，摔了个粉碎。

路曼曼押着马小跳到卫生间去洗手，她说要用洗手液洗三遍，再用清水清洗三遍，才能把手洗干净。

马小跳耐着性子，受尽路曼曼的折磨。

"你现在可以去吃点心了。"

马小跳真的有点饿了。一块巧克力核桃小西饼被他塞进嘴里，满口都是香。

这刚烤好的小西饼真脆，嚼在嘴里嘎嘣嘎嘣响。

"马小跳!"路曼曼又叫起来，"你知不知道，吃东西不可以嚼得这么响？"

"为什么不可以嚼得这么响？"

马小跳烦了，什么都管，吃东西也管。

"猪才嚼得这么响！"

马小跳也有脾气："我不吃，总行了吧！"

"你必须吃！"路曼曼不依不饶，"而且，不能吃出响声。"

吃就吃，那巧克力核桃小西饼真好吃，不吃白不吃。

马小跳这次没敢用牙齿嚼，他用牙齿磨。但这小西饼太脆了，还是发出了响声。

"还是吃出了声音。不行，重新吃！"

重新吃就重新吃，这小西饼真是好吃。

马小跳又吃了一块小西饼。这次，他故意嚼得很响。

"怎么越吃声音越大？"

"好好，我重新吃！我重新吃！"

"不行，不能让他重新吃！"丁文涛识破了马小跳的阴谋诡计，"再吃就没有了。"

这种高级小西饼，一袋只有八块，马小跳已经吃了六块，刚才掉了一块在地上，袋子里只剩下最后一块了。

马小跳吃得满屋子都是巧克力的香味，丁文涛和路曼曼都没有吃过这种小西饼，丁文涛直往肚子里咽口水，路曼曼也真想尝尝这种小西饼的味道。只有夏林果对小西饼没兴趣，她要保持跳芭蕾舞的身材，对一切吃的东西都没兴趣。而且，夏林果觉得看马小跳吃东西，是一件十分愉快的事情。

"让他吃吧！这一次，他一定不会吃出响声，是不是，马小跳？"

完全是因为不想辜负夏林果的期望，吃最后一块小西饼时，马小跳真的没有发出一点声音——他没用牙齿嚼，没用牙齿磨，而是含在嘴里，让它慢慢地化掉。

路曼曼再也没什么话可说了。丁文涛没吃着小西饼，心里恨死了马小跳。夏林果觉得马小跳太好玩了。

路曼曼的爸爸妈妈下班回来，一看路曼曼满面红光、精神抖擞的样子，很奇怪："曼曼，你的病好啦？"

"好啦，好啦！"路曼曼的奶奶欢天喜地，"马小跳一来，她的病就全好啦！"

"谁是马小跳？"

路曼曼的爸爸妈妈经常听路曼曼讲马小跳怎么调皮、怎么捣蛋，所以对他的名字很熟悉。

马小跳向路曼曼的爸爸恭恭敬敬地鞠了一躬："叔叔好！"

他又向路曼曼的妈妈恭恭敬敬地鞠了一躬："阿姨好！"

"这孩子很不错嘛！"

"这孩子好可爱哦！"

路曼曼的爸爸和妈妈心花怒放，毫不掩饰对马小跳的喜爱之情。

路曼曼赶紧向她的爸爸妈妈隆重推出丁文涛："他是我们班上的学习委员，他最喜欢做难题，他……"

路曼曼说了丁文涛许多非凡之处，想压住马小跳的风头，结果没压住，她爸爸妈妈各牵了马小跳的一只手，把他拉到晚饭桌上，让他坐上了贵宾席——就是正对着门的那把椅子。

马小跳很少受到这么隆重的接待，没喝酒都有些飘飘然了。他不顾路曼曼一直拿眼睛瞪着他，起码在饭桌上炫耀了三遍：他是代表全班同学来看望路曼曼的，他来了，就等于全班同学都来了。

"不用全班同学来，你一个人来就行了。"路曼曼的奶奶不停地给马小跳夹菜，"你来了，我们曼曼的病一下子就好了。"

路曼曼的名字在飞镖靶上

马小跳又惹祸了。他把科学课用的地球仪弄坏了。教科学课的雷鸣老师——同学们都叫他轰隆隆老师——问他怎么办?马小跳说赔一个,赔一个一模一样的。

"那好吧。"轰隆隆老师说,"这个坏的地球仪就归你了。"

这件事情,本来很简单,轰隆隆老师觉得简单,马小跳也觉得简单。但是,路曼曼把这件事情记在了那个小本子上,这件事情就变得不简单了。

那个小本子,是专门记录马小跳不良表现的小本子,每天下午放学以前,路曼曼都要把它交到班主任秦老师那里,秦老师便知道马小跳这一天的表现。

马小跳损坏公物,本来秦老师是要严肃处理的,但轰隆隆老师已经处理了。秦老师还是不放心,她派中队长路曼曼和大队委夏林果代表学校,到马小跳的家里去见马小跳的家长,以表示学校对这件事情的重视。

路曼曼和夏林果押着马小跳回家，马小跳举着地球仪在前面走，路曼曼和夏林果始终跟他保持两米远的距离，所以马小跳想跟她们说说话，都变得很困难。

终于到家了，马小跳的爸爸妈妈都不在家。

路曼曼问马小跳："你爸爸妈妈什么时候回来？"

"快了快了，马上就回来。"

其实，马小跳的爸爸今晚有个应酬，很晚才能回来；马小跳的妈妈今晚下班后，还要去跳健美操，也要很晚才能回来。马小跳说他们很快就会回来，是怕路曼曼和夏林果走了。不，路曼曼走了才好呢！他是怕夏林果走了。夏林果是第一次到他家来，他希望她多留一会儿。

马小跳热情无比，他几乎已经忘了路曼曼和夏林果到他家是干什么来的，他一心想好好招待夏林果，当然还有路曼曼。不过，他把路曼曼看做是搭顺风车的。

"你们想喝什么？"

马小跳竭力想给夏林果留下一个好印象，但他却不敢看夏林果。夏林果太美丽了，马小跳自己都很奇怪，他天不怕，地不怕，就怕看夏林果。

其实，马小跳想问的是夏林果，路曼曼却板着脸，反问马小跳有什么可喝的？

"有可乐，有酸奶，我还可以给你们做鲜榨果汁。"

路曼曼十分果断地说："我要鲜榨果汁。"

"我不要。"夏林果说，"我只要一杯冰水就可以了。"

马小跳忘记了夏林果是跳芭蕾舞的，怕发胖，甜的东西一概不吃。

做鲜榨果汁是很麻烦的。如果是给夏林果做，马小跳会心甘情愿，不怕麻烦。但是给路曼曼做，马小跳是心不甘，情不愿。

路曼曼喝着马小跳辛辛苦苦为她做的鲜榨果汁，连声"谢谢"都没有说，脸上也没有一点笑容。

"马小跳，你爸爸妈妈到底什么时候回来呀？"

"快了快了！"

夏林果倒不急。她一边晃动着有冰块的玻璃杯，一边参观起马小跳他们家的客厅来。

夏林果看墙上的飞镖靶看得特别仔细，看着看着就笑起来。

"夏林果，你看见什么了？"

夏林果不回答路曼曼，笑得更厉害了，眼泪都笑出来了。

路曼曼冲过去看那个飞镖靶，看着看着，脸就变了形，眼睛里还有泪花。

"马小跳，你……"

"怎么啦？"马小跳做出无辜的样子，"我又没惹你。"

路曼曼指着靶心，气得快说不出话来："你想……杀死我？"

马小跳这才恍然大悟：那靶心上写着"路曼曼"三个字。他都记不起他是什么时候写的，因为他和路曼曼的战争，每天都在发生，马小跳输多赢少，窝着一肚子气。就这样，他把路曼曼的名字写在了靶心上，想解解气，但是他一次都没射中过。

马小跳最见不得女孩子哭。路曼曼虽然还没有哭出来，但马小跳的心已经软了。

"路曼曼，我发誓：我一次都没射中过你。"

夏林果凑近靶心去看了看，也帮马小跳证明道："真的，没有射中过，一个小洞眼儿都没有。"

听他们都说没射中过自己，路曼曼快流出来的眼泪，这才收了回去。但她还是不能原谅马小跳，她从书包里掏出那本记录马小跳不良表

Cong ming nü hai *Lu Manman*

现的小本子，又记了一条马小跳的不良表现，这可是今天她到马小跳家里来的意外收获。

等了很久，马小跳的爸爸妈妈还没有回来，夏林果想走了。

"别走别走！他们马上就要回来了。"

马小跳真不希望夏林果走。他从冰箱里拿出五颜六色的水晶果冻，请夏林果吃。

夏林果还是不吃，她怕发胖。果冻是甜的，她的芭蕾舞老师一再告诫过她，不能吃甜的，吃了要发胖。

马小跳还没有请路曼曼吃，路曼曼就伸手拿了一个。那么大一个，她一口就吸进了嘴里。路曼曼心里有气，正好用清凉的水晶果冻把心里的火气压一压。她一个接一个地吃，红的绿的黄的紫的粉的果冻，通通被她吸进了肚子里。

马小跳心疼死了，早知道夏林果不吃，他才不会把这么多果冻全部都拿出来。平日里，他都舍不得这样海吃，他规定自己，每天只能吃两个。

路曼曼吃完了全部的水晶果冻，不仅没有对马小跳说一句道谢的话，还凶巴巴地问马小跳："你爸爸妈妈怎么还不回来？"

马小跳为了稳住她，就说给她们表演魔术。

"你还会表演魔术？"

路曼曼和夏林果都不走了，她们要留下来，看马小跳表演魔术。

魔术大师的失败表演

路曼曼听说马小跳会表演魔术，也就把那件令她十分生气的事情——马小跳把她的名字写在飞镖靶的靶心上，暂时忘记了。

马小跳关在他的房间里做准备去了。路曼曼和夏林果并排坐在沙发上，等着马小跳表演魔术。

等了很长时间，马小跳都没有出来。路曼曼大声吼道："再不出来，我和夏林果就走了！"

当当！当！当当！原来，这是马小跳自己在给自己奏乐。

房门一开，马小跳从房间里跳了出来，来了个闪亮登场，把路曼曼和夏林果都吓了一跳——他的样子好怪：戴一顶黑色的高筒帽，披一件黑色的斗篷，嘴唇上粘一小撮黑胡子。

马小跳展开黑斗篷，做了一个亮相动作："大魔术师马小跳闪亮登场！"

马小跳期待着掌声响起来。可是，掌声并没有响起来。

夏林果悄悄问路曼曼："你看他像什么？"

路曼曼说："像一只大乌鸦。"

她们的话被马小跳听见了。马小跳一下子泄了气，把展开的斗篷收拢来。

路曼曼很不耐烦："马小跳，你到底会不会变魔术呀？"

"魔术表演现在开始。"马小跳自己给自己报幕，"第一个节目：拳中飞雪。"

哗的一声，马小跳展开一把纸扇。他右手握着纸扇，左手伸开给她们看："看清楚喽，有没有东西？"

夏林果摇头。路曼曼没有摇头，也没有点头，却看得十分专注。

夏林果说没有，路曼曼没有吭声。

扇子从马小跳的左手又移到右手来。他的左手捏成一个拳头，在用力地搓着。

"看好！看好！"马小跳嘴里叽里呱啦，"马上就要飞雪了！"

马小跳右手拿扇子对着左拳猛扇起来，左拳渐渐松开，从指缝里飞出许多纸屑来，越飞越多，客厅里好像冬天来临，下起了大雪。

"马小跳，你好神哦！"夏林果对马小跳已经有点刮目相看了。

路曼曼却叫马小跳把扇子拿给她看。

"魔术师的道具是不能拿给别人看的。"

魔术的秘密一旦被人破解了，魔术师也就不再受人崇拜了，这是马小跳的亲身体会。马小跳会玩的几个魔术，都是轰隆隆老师教他的。马小跳学会了，就再也不崇拜他本来十二分崇拜的轰隆隆老师了。

"你能不能把这个魔术再表演一遍？"

马小跳上当了，他以为路曼曼喜欢这个魔术。而聪明绝顶的路曼曼相信，她只要再看一遍，就能破解这个魔术。

马小跳又关在房间里捣鼓了一阵。

路曼曼等得不耐烦："马小跳，你再不出来，我们就走了！"

当当！当！当当！马小跳自己给自己奏乐。房门一开，他像一只黑乌鸦，从里面飞了出来。

马小跳把"拳中飞雪"这个魔术又重复表演了一遍。

当客厅里又飞舞起雪花时，掌声终于响了起来。

"好棒哦！好棒哦！"

看到夏林果拼命地为他鼓掌，这时候的马小跳，是世界上最幸福的人。

马小跳正在自我陶醉，路曼曼却走过去，一把从他手中抢过扇子来，发现扇柄上有一段被扯断的丝线。

"我知道这个魔术的秘密了。"路曼曼说得头头是道，"你去房间捣鼓了那么久，是去准备碎纸屑的。把碎纸包在一个纸包里，用丝线系在这扇柄上，跟扇子一起握在手里，我们当然看不见。你让我们看了你的左手是空的以后，把扇子连带纸包移到左手，再把扇子从左手移到右手时，你用力扯断了丝线，扇子到了你的右手，纸包却留在你的左手里。你的右手开始扇扇子，左手却在用力地搓动，把包纸屑的纸搓破了，纸屑就飞出来了。"

马小跳木在那里，他在想路曼曼是不是狐狸精变的，什么都逃不过她的眼睛。

"怎么样？"路曼曼胜利了，"你还有没有什么魔术玩给我们看？"

不能再玩了，再玩还会被她识破天机。要玩，就玩一个有真功夫的，不怕她识破。

"我再玩一个'打蛋入杯'给你们看。"马小跳只会玩几个魔术，都是轰隆隆老师教的，只有"打蛋入杯"是凭真功夫。

马小跳又忙起来，身上披的黑斗篷在地上扫来扫去。

路曼曼看马小跳是越看越不顺眼："魔术都被我识破了，还冒充什么魔术师？"

马小跳也不好意思再冒充魔术师了，他脱掉黑斗篷，摘掉高帽子，把嘴边的小胡子也扯掉了。

马小跳在桌上放了四个玻璃杯，杯里倒上水，上面再放一层小木板。小木板上，正对着四个杯口，放四个一寸来高的纸圈，再在四个纸圈上，放四个鸡蛋。

"注意啦，我要开始啦！"马小跳摩拳擦掌，"只要我在木板上一敲，鸡蛋就会落进杯子里。"马小跳平举着双手，向前一推一推。

路曼曼问："你在干什么？"

"我在运气。"马小跳说，"我要把全身的气力都运到手上来。"

路曼曼走过来，站在马小跳的身边。"快敲呀！"

马小跳一掌敲在木板上，木板飞到一边去，蛋也飞到一边去，摔个稀巴烂。

"哈哈哈！""哈哈哈！"路曼曼和夏林果笑得在沙发上滚来滚去。

马小跳无地自容，怎么会出这样的丑？自从他学会玩这个魔术，几乎就没有失过手。都怪路曼曼，她到底是人还是妖？她一站到他的身边，运到手上的气就都跑掉了。

笨女孩安琪儿

3

不是笨鸟是天使

安爸爸和安妈妈结婚许多年，一直没有小孩子。安妈妈四十岁生日那天，她告诉安爸爸，昨晚，她梦见一个背上长着翅膀的小天使，围绕着她飞呀飞呀，一直飞到天堂。安爸爸就笑她，想孩子都想痴了。

从此以后，安妈妈的肚子真的一天天大起来。到了肚子变得很大的时候，安爸爸和安妈妈整日提心吊胆。因为他们听许多人讲，年纪大的女人生孩子，生出来的孩子不是四肢不全，就是智商不高。

安爸爸和安妈妈宁愿要一个智商不高的笨孩子，也不愿要一个四肢不全的残疾孩子。于是，他们每天都祈祷：但愿我们的孩子是一个笨孩子！

安妈妈生了一个女孩子。想起她四十岁生日的前一天晚上做的梦，她就给这个女孩子取了个小天使的名字——安琪儿。

安琪儿三岁还不会讲话，看见人就傻乎乎地笑。她的两只眼睛分得很开，塌鼻子，厚嘴唇，是个笨女孩的长相。

从安琪儿读一年级起，安妈妈就爱给安琪儿讲"笨鸟先飞"的故事。

现在读三年级了，安妈妈还是爱给安琪儿讲"笨鸟先飞"的故事。每次讲完，都不忘叮嘱一句："安琪儿，你一定要向笨鸟学习哦！"

安琪儿很认真地问道："我没有翅膀，怎么学？"

"唉——"安妈妈叹口气，"我是让你学笨鸟的精神。"

安琪儿不要精神，她要翅膀。安妈妈没有办法，只好找出两把大羽毛扇，胡乱地绑在安琪儿的背上。

安琪儿飞了出去。一飞就飞到了对门马小跳的家里。

马小跳正在打游戏机，见打扮得怪模怪样的安琪儿扑了过来，吓了一跳："你要干什么？"

安琪儿说："我笨鸟先飞。"

马小跳向来不喜欢安琪儿，就是因为她笨。但是他妈妈喜欢安琪儿，在没有生马小跳之前，她是想生个女孩的。

"小天使，你来了！"

马小跳的妈妈一直把安琪儿叫做小天使。

安琪儿一边飞，一边说："我不是小天使，我是笨鸟。"

"谁说你是笨鸟？"马小跳的妈妈把安琪儿背上的"翅膀"整理好，"你是小天使。"

"我真的是小天使吗？"

"是的，安琪儿是小天使的名字。"

"小天使是什么样子的？"

"就像你这个样子，很天真，很纯洁。"

安琪儿有点相信了，她就是小天使。

安琪儿记不清楚，她对哪个同学讲过自己是小天使的话，结果，一个传一个，一个传一个，班上好多同学都知道了，安琪儿说自己是小天使。

路曼曼好像特别生气："安琪儿，你怎么敢说自己是小天使？小天使是很美的，你美吗？"

安琪儿说："马小跳的妈妈说，小天使就是我这样的。"

几个女同学都捂着嘴笑。

"原来小天使这么丑。"

说这话的是夏林果，她是路曼曼的好朋友，是班上长得最好看的女生。

安琪儿听不出夏林果的话里有嘲讽她的意思，她不明白夏林果为什么要说小天使丑。她要把马小跳的妈妈讲的话讲给她们听。

"小天使不丑，小天使很天真，很纯洁。"

"跟她讲不清楚，我们去问丁文涛。"

路曼曼是班上的中队长，是个顶顶聪明的女孩，她不愿跟安琪儿这种智商有点问题的人多说话，她最想跟丁文涛说话。丁文涛是班上的学习委员，读了许多课外书，世界上的事情几乎就没有他不知道的。

路曼曼去把丁文涛搬来了。

丁文涛开口便说："安琪儿，我告诉你，你以为你有个小天使的名字，就可以把自己当成小天使啦？小天使是住在天上的，是不可以跑到地上来的。你懂不懂？"

丁文涛说话有个毛病，开口是"我告诉你"，闭口是"你懂不懂"。

班上的四大金刚——嘴巴大得像河马的张达、瘦得像猿猴的毛超、胖得像企鹅的唐飞、淘气包马小跳，他们最见不得有人欺负安琪儿。在他们的眼里，安琪儿是个需要人保护的弱者。

四大金刚像救火车一般冲了过来，正好听见丁文涛那番"天使不可以跑到地上"的话。

"怎么不可以？"猿猴毛超偏要跟丁文涛唱对台戏，"你没听说过天

使降临人间吗？"

丁文涛急了："谁……谁见过天使降临人间？"

河马张达拍拍胸脯："我们都见过，是不是？"

其他三大金刚随声附和，全部都说见过。他们还说丁文涛见识太浅、孤陋寡闻、才疏学浅、井底之蛙……

丁文涛哪里招架得住，只好在几个女生的掩护之下，逃之夭夭。

四大金刚围住安琪儿。河马张达给猿猴毛超使了一个眼色，毛超便唾沫横飞起来：

"安琪儿，天使降临人间，是要给人们带来福音的哦。"

安琪儿歪着脑袋，不明白什么是"福音"。

毛超说："福音就是天使要满足人们的愿望。"

河马张达的性子急，他不耐烦猿猴毛超再绕下去，干脆直奔主题："安琪儿，我们几个现在就有一个愿望，把你球迷爸爸那个有球星签名的足球借给我们玩玩。"

一定是马小跳告诉他们的。马小跳每次到安琪儿家里去，都对锁在玻璃柜里的那个足球虎视眈眈。那个足球不是一般的足球，那个足球上签满了名字，国家队所有球星的名字都签在上面了。

这可是安爸爸最珍惜的宝贝，平时都舍不得拿出来，一直锁在玻璃柜里。

安琪儿说："好吧，我去跟爸爸讲讲，让他把球借给你们玩玩。"

"别！别！"马小跳拉着安琪儿，"你千万千万别告诉你爸爸。"

马小跳早就对他们说过，安琪儿的球迷爸爸是肯定不会把签名足球借给他们的。

能说会道的猿猴毛超又给安琪儿下套了。

"安琪儿，天使都是悄悄地给人们带来福音的，不能让别人知道，特别是不能让你爸爸知道。"

安琪儿说："爸爸把球锁起来了，不告诉他，球怎么拿得出来？"

"天使是万能的，安琪儿肯定有办法把球拿出来。你们说，是不是？"

四大金刚都说"是"，都说"没问题"，还给安琪儿加了油，鼓了掌。

超级球迷的签名足球

安爸爸做了二十多年的足球迷。去年，全国评选"超级球迷"，经过层层选拔，安爸爸获得了"超级球迷"的光荣称号，还得到了一个有国家足球队全体球星签名的足球。

这个签名足球成了安家最珍贵的东西，平时锁在玻璃柜里，有客人来了才会拿出来。安爸爸十分小心地用十个指尖托着球，给客人看球上面的签名，但绝不允许客人用手摸球，他怕把球上面的名字摸没了。

马小跳到安琪儿家来，只能隔着玻璃看这个签名足球。马小跳对这个签名足球念念不忘，就对张达、毛超、唐飞讲了，他们一直在寻找机会，想把安琪儿家的这个宝贝足球借出来玩玩，遇上丁文涛和安琪儿理论什么"天使"的问题，诡计多端的猿猴毛超就顺便给安琪儿下了一个套儿。

安琪儿是非常愿意把家里的这个宝贝足球借给他们几个玩玩的。只是球锁在玻璃柜里，钥匙在她爸爸那里，他们又不让告诉爸爸，球怎么拿得出来呢？

安琪儿呆呆地看着玻璃柜里的球,她还从来没遇到过这么伤脑筋的事情呢。

安爸爸也觉得奇怪,安琪儿对他的宝贝足球好像从来就不感兴趣,今天怎么老看这球呢?

"安琪儿,你是不是想玩球?"

"不想玩。"安琪儿还是呆呆地看着玻璃柜里的球,"我在想,你为什么要把这个球锁起来呢?"

"你知不知道,这个球本来是不值钱的,但这上面有国足全体球星的亲笔签名,所以就成了无价之宝。如果不锁起来,被小偷偷去了,怎么办?"

安琪儿瞪着一双惊恐的眼睛:"小偷在哪里?"

"这……"

安爸爸竟不知怎样回答安琪儿的话。

"对呀,你说,小偷在哪里?"安妈妈插进话来,"这个家里,除了你,就是我和安琪儿,你看我们俩,哪一个像要偷你那个宝贝足球的小偷?"

"胡说八道!"安爸爸急了,"谁说你们两个是小偷?"

安妈妈针锋相对："那你为什么要锁玻璃柜？"

"好好好！"安爸爸举手投降，"我把锁打开，行了吧？"

安爸爸哗啦啦地掏出一串钥匙，找出一把来，开了玻璃柜上的锁。

第二天，安琪儿一点不费事地打开玻璃柜，拿出那个宝贝足球，抱到学校里去了。

当安琪儿把球交给四大金刚时，四大金刚欣喜若狂，差点把她抬起来往天上抛。

猿猴毛超的嘴像抹了蜜："安琪儿，你真是降临人间的天使啊！"

河马张达粗声粗气地说："安琪儿，今后谁敢说你不是天使，我……我们跟他没完。"

四大金刚抱着球就到操场去了。

马小跳飞起一脚，把签名足球踢上天。球落在几个正在踢球的大男生中间，那几个六年级的大男生都傻眼了。平日里，他们从来没有把低年级的这帮所谓的四大金刚放在眼里过，现在他们居然有一个国足全体球星亲笔签名的足球，不得不对他们刮目相看。

六年级的足球队长主动提出下午跟他们赛一场球。

"跟我们?"

四大金刚有些受宠若惊。六年级跟三年级赛足球,这是从来没有过的事。六年级的足球队长提出条件:"赛球得用这个签名足球。"四大金刚满口答应。

不一会儿,全校的老师和学生都知道四大金刚有一个签名足球,还知道下午课外活动时间,六年级的足球队要和三年级二班的足球队赛一场球,就要用这个签名足球来比赛。

各班的拉拉队迅速行动起来。足球比赛场上,踢球是男生的一道风景,拉拉队是女生的一道风景。

三年级二班的拉拉队队长是路曼曼。

河马张达却在班上宣布:"从今天起,我们班的拉拉队队长由安琪儿担任。"

许多女生不服气,她们不明白这些男生为什么偏偏要安琪儿当拉拉队队长。

马小跳说:"安琪儿当拉拉队队长,我们肯定赢!"

就这样,安琪儿当了拉拉队队长,领着一帮女孩子,又喊又叫,又唱又跳,她们的风头把五年级的拉拉队和六年级的拉拉队都给压下去

了。

今天看比赛的人特别多，好多老师都来了，他们不是来看比赛而是来看球的，看那个有国足全体球星亲笔签名的球。

赛场上，乱七八糟，一塌糊涂。六年级的足球队本来就不屑于跟三年级的小孩子踢，他们无非是想踢踢那个签名足球。再加上这场比赛连个裁判都没有，三年级的小孩子一点规矩都不讲，满场子乱跑，用手抢球，生拉硬拽地还进了四个球。最后，六年级的足球队居然以2：4输给了三年级二班的足球队。

三年级二班的女生不得不服气：安琪儿当拉拉队队长，真的会赢球！

这一天，四大金刚过得扬眉吐气，安琪儿也过得痛痛快快。只是，当马小跳把那个签名足球还给安琪儿时，安琪儿发现原来干干净净的球，已经脏得不成样子了。

爸爸肯定饶不了她。安琪儿两条分得很开的眉毛耷拉下来，撇撇嘴，想哭。

马小跳最见不得女孩子哭，特别见不得安琪儿哭。她的样子本来就不好看，笑的时候还稍微好点儿，哭的时候简直就是惨不忍睹。

马小跳给安琪儿出了一个主意："你回家去，把球放在洗衣粉水里泡泡，然后用刷子一刷，球保证会像新的一样。"

安琪儿照马小跳说的做了。她把球泡在水里，加进了许多洗衣粉。泡了一会儿，安琪儿用刷子一刷——嘿，真的像马小跳说的那样，脏兮兮的球一刷就变得雪白，像刚买的新球一样。

安爸爸回来看见这个球，头都要炸开了："这上面的字呢？球星们的亲笔签名呢？"

安琪儿一脸傻笑："刷掉了。"

"你知不知道，这个球来之不易……"

安爸爸气得半死，真想把安琪儿打一顿。安妈妈挺身而出："你的球来之不易，还是我们的安琪儿来之不易？"

当然是安琪儿来之不易。安爸爸就把高高举起的手收了回去。他想想也是，安妈妈那么大年纪才生出来的孩子，做点笨事也是难免的。

给人浇水可以让人长高吗

安琪儿是班上个头儿最矮的女生。有一次上语文课，秦老师让大家用"希望"造一个句子。安琪儿造的句子是：我希望长得像教室外面的树那样高。

教室外面的树，是一棵高大的梧桐树，至少有十米高，同学们都笑起来，秦老师也笑了。

植树节那天，秦老师把同学们带到一条美丽的河边，给河边的小树浇水。秦老师说，给小树浇了水，小树才长得高。

秦老师规定每两个同学为一组：一个男同学，一个女同学。男同学提水，女同学浇水。

安琪儿和马小跳一组。

马小跳问安琪儿："你妈妈给你浇过水没有？"

安琪儿说没有。

"怪不得你这么矮，原来你妈妈连水都不给你浇。"

安琪儿问："是不是浇了水，我就可以长高了？"

"当然啦！"马小跳指着安琪儿身旁的一棵树，"你看给树浇水，树就会长得很高。"

安琪儿又问："每天晚上洗澡，我都用水淋，这算不算浇水？"

马小跳想了想，说："不算。你淋的是热水，我们给树浇的是凉水。你不是想长得像教室外面那棵梧桐树那样高吗？必须浇凉水才行。"

安琪儿站在一棵小树旁，却忘了给小树浇水。她痴痴地想，想象着自己被浇一次水，就长高一点点。每天都浇，每天都长，一直长到像梧桐树那么高。

"安琪儿，你快浇水呀！"

马小跳见安琪儿木头人似的站在那里，就朝她喊。

"马小跳，我想让你给我浇水。"

"真的？"

马小跳巴不得给安琪儿浇水。看桶里还剩大半桶水，马小跳就把桶举起来，哗啦一声，水从安琪儿的头上淋到脚底下。

当时还是初春时节，安琪儿还穿着厚毛衣。她的头上、衣服上、鞋上全是水，像只可怜的落汤鸡。

"好冷啊！"

安琪儿浑身颤抖着，她的嘴唇已经冻紫了。

已经有同学告诉秦老师去了。秦老师跑过来，看到安琪儿这副样子，又急又气。

"马小跳，你……你太不像话了！"

秦老师一生气，脸就会发红。安琪儿和马小跳都不明白，秦老师为什么那样生气。

秦老师说马小跳欺负女同学，马小跳说他没有欺负安琪儿，他是在帮安琪儿长高。

"马小跳呀马小跳！"秦老师用手指点着马小跳的脑袋，"你这个脑瓜儿是不是出毛病了？"

　　秦老师叫马小跳给安琪儿道歉，马小跳不明白为什么要给安琪儿道歉，他是在帮安琪儿长高啊！

　　马小跳见秦老师生气的样子挺吓人的，不得不给安琪儿鞠了个躬，说了声："对不起，我错了！"

　　"我……我不要……马小跳……道歉。"安琪儿哆哆嗦嗦地对秦老师说，"是我自……自己叫……马小跳给我……浇水……的……"

　　"安琪儿，你的脑瓜儿也出毛病了吗？"

　　秦老师一说出这话，她就后悔了。说马小跳的脑瓜儿出毛病可以，说安琪儿的脑瓜儿出毛病万万不可以，因为她的脑瓜儿本来就有毛病。

　　听安琪儿打了一个响亮的喷嚏，秦老师赶紧脱下自己的呢子大衣，披在安琪儿的身上，立刻把她送回家去。

　　看到安琪儿被淋成这个样子，安妈妈心疼万分，她真想马上就冲到对门找马小跳的家长，让他们好好管教他们的儿子，但又看在秦老师十分尽心的分上，她想先忍忍再说。

　　安妈妈给安琪儿洗了个热水澡。她一边洗，一边哭。女儿是妈妈的心头肉，安琪儿再傻再笨，也是她的心肝宝贝。她绝不允许她的女儿被

人欺负！

安妈妈越想越气，她决定去找马小跳的家长，讨个说法。

安妈妈像个即将上战场的斗士，斗志昂扬地刚要冲出门，就被安琪儿叫住了。

"妈妈，我饿了！"

安太太权衡了一下：讨说法重要，还是女儿的肚子重要？最后她觉得还是女儿的肚子重要。她转身系上围裙，进了厨房。

其实，秦老师离开安琪儿的家后，就给马小跳的爸爸打了电话。她把今天的事情讲了，特别强调说，如果今天马小跳浇了其他女同学的水，教育一顿也就算了，但他浇的是安琪儿……马天笑先生一听马小跳居然欺负安琪儿这样的女孩子，就恨不得立刻回家，把马小跳狠狠地打一顿。

马天笑先生一回到家里，就叫马小跳脱裤子。每次打儿子，马天笑先生都是叫马小跳先脱了裤子，然后才打他的屁股。

马小跳不脱。他说在他脱之前，他要弄明白他为什么挨打。

马天笑先生说："你把水从安琪儿头上浇下去，你说该不该打？"

马小跳说，是安琪儿叫他浇的。

"她叫你浇的？"马天笑先生冷笑道，"天底下没有这么傻的人。"

"爸爸，你听我说——"马小跳把嘴凑近马天笑先生的耳边，"安琪儿就有这么傻。"

马天笑先生一巴掌打在马小跳的屁股上。他十分严肃地警告马小跳："以后再听你说安琪儿傻，看我不打烂你的屁股！"

马天笑先生要带马小跳到安琪儿家去道歉，马小跳说："你就这样空着手去啊？"

马天笑先生想想也对，送点礼物，多少能表达一点他们道歉的诚意。

马天笑先生看马小跳欢天喜地急着要出门，好像走亲戚一样，不得不提醒他一句："马小跳，你别以为这事儿就完了，回来还要打。"

他们先到超市去买礼物。一进超市，马小跳就不见了。马天笑先生找来找去，最后才发现马小跳已经推了一车的东西，等在收银处那里了。

马小跳指着一车花花绿绿的东西，对马天笑先生说："这些都是安琪儿喜欢吃的东西。"

其实，这些都是马小跳喜欢吃的东西。

马小跳提了一大包，马天笑先生提了一大包，汗流浃背地来到安琪儿家。

一进门，马小跳就把东西通通运进安琪儿的房间里，两个人美美地吃起来。剩下马天笑先生在那里，只好不停地给安妈妈鞠躬，不停地说道歉的话，搞得安妈妈挺不好意思的。

她满肚子的气，早已飞到九霄云外去了。

马天笑先生跟安爸爸还挺谈得来，他们主要是侃足球。后来，看时间不早了，马天笑先生叫马小跳回家，马小跳怕回家后他爸再打他，就指使安琪儿说不愿他走，要再陪她玩一会儿。一直玩到安琪儿想睡觉了，马小跳才不得不跟着马天笑先生回家去。

马天笑先生和安爸爸侃足球侃得十分痛快，一痛快就忘记"回家还要打马小跳"这件事情了。

幸福是温暖的珍珠熊

　　还有一个星期才是安琪儿的生日，安爸爸、安妈妈已经开始策划怎么给安琪儿过生日了。

　　从安琪儿记事起，安爸爸和安妈妈就没有意见统一的时候，他们俩总是吵吵闹闹的。不过，安琪儿倒是习以为常，她想，两个人，两个脑袋，想的事情怎么可能一样呢，真要是一样才奇怪呢！

　　这一次，关于怎样给安琪儿过生日，安爸爸和安妈妈，两个脑袋，两个主意。安爸爸说，安琪儿的生日正好是周末，他要把安琪儿带到游乐场去，让安琪儿玩遍游乐场里所有的游乐项目——像翻滚列车、大转盘、勇敢者、过山车、碰碰车、转转车，等等，等等，花多少钱他都不

在乎。安爸爸只有一个愿望，他要让安琪儿过上最最快乐的一天，最最幸福的一天。

安妈妈说，在安琪儿生日那一天，她要去买一个三层高的生日蛋糕，宝塔形的，上面铺着厚厚的奶油花，边上镶着水果片，她要让安琪儿请班上的一些同学来，开一个生日Party。安妈妈把要请的人都想好了。女生中一定要请路曼曼，因为她是中队长，是秦老师最喜欢的学生；男生中一定要请丁文涛，因为他是学习委员。

"可不可以请马小跳？"安琪儿最想请的男生是马小跳，"他来了才好玩呢。"

"不行不行！"安妈妈连连摆手，"那个调皮捣蛋的马小跳，他来了还不把家里闹翻天？"

安琪儿就不吭声了。她想要是马小跳不来，这个生日Party还有什么意思呢？如果真的要请班上的同学来参加她的生日Party，她最想请的女生并不是路曼曼，因为路曼曼跟她并不要好，跟路曼曼要好的女生都是一些长得漂亮、成绩又好的女生，比如像夏林果那样的女生。安琪儿的成绩不算好，她跟黄菊要好。黄菊是个农村孩子，爸爸妈妈到城里来打工，她也跟着来了。黄菊的成绩也不算好，但她的手很巧，会做各种各样的手工：她会把一个空易拉罐做成一把小椅子；会把一块废弃的纸板做成一个漂亮的相框；会用几根公鸡尾巴上的毛，做成一个毽子……安琪儿想请黄菊，还有一个很重要的原因，黄菊家里比较穷，不是经常能吃到蛋糕，她想请黄菊来吃好多好多蛋糕。

安琪儿特别不想请丁文涛来参加她的生日Party。丁文涛一点都不好玩，他跟安琪儿讲话，从来都是用教训人的口气，开口"我告诉你"，闭口"你懂不懂"，安琪儿最不喜欢跟他讲话。

唉，既然安琪儿想请的人，安妈妈又不让请，安妈妈想请的人，安

琪儿又不喜欢，安琪儿对她的生日 Party，便一点热情都没有了。

安妈妈还在那里计划安琪儿的生日 Party，讲得眉毛都要飞起来了，安琪儿却昏昏欲睡。安爸爸打断安妈妈的话，讲他的游乐计划，讲得慷慨激昂，唾沫横飞。安爸爸和安妈妈又吵起来，不知吵了多长时间，也不知他们吵了些什么，因为安琪儿已经趴在桌子上睡着了。

到了星期五那天，也就是安琪儿生日的前一天，安爸爸和安妈妈还在争论不休，安琪儿也拿不定主意：到底是去游乐场玩，还是开生日 Party？或者是用半天开生日 Party，用半天去游乐场玩？

想了一会儿，安琪儿就把脑袋想痛了。她是个不喜欢动脑筋的女孩子，如果一个问题想不出答案来，她是不会一直去想它的。

到了晚上，安琪儿一家三口还是没定下来安琪儿的生日到底怎么过。安琪儿觉得很累，她想回房间去睡觉。安爸爸拉住她左边的胳膊，安妈妈拉住她右边的胳膊，他们异口同声："你到底想要什么？"

安琪儿想要一只珍珠熊，这是她一直想要的。

"我想要一只珍珠熊。"

"你怎么还想要珍珠熊？"安妈妈一脸厌恶的表情，"那小东西像老鼠一样，我见了身上都会起鸡皮疙瘩的。"

安琪儿又不吭声了，默默地回到她的房间，关上门。

安琪儿是在黄菊家里见到珍珠熊的。见到它的第一眼，安琪儿就爱上了珍珠熊：一身棕黄色的毛，又厚又密，摸上去就有温暖的感觉。最让安琪儿喜欢的，是珍珠熊的眼睛，像两颗小黑豆。如果它不动的时候，真的就像摆在床头上的玩具熊。

安琪儿一直就想要一只珍珠熊，她给安妈妈说了好多次，可安妈妈每次都说她见了珍珠熊，她身上就会起鸡皮疙瘩的。

这天晚上，安琪儿早早地上了床，躺在床上想珍珠熊。她听别人讲过，心里想什么，睡觉的时候就会梦见什么。

想着珍珠熊，安琪儿慢慢地睡着了。

夜里，安琪儿并没有梦见珍珠熊。到了早晨，天已经亮了，珍珠熊才终于来到安琪儿的梦里。可是，安爸爸和安妈妈的一声"生日快乐"，惊醒了安琪儿的"珍珠熊梦"。

安琪儿睁开眼睛，珍珠熊不见了，只有白得刺眼的天花板。安琪儿使劲地闭上眼睛，她想把"珍珠熊梦"做下去。又是一声"生日快乐"，是安琪儿的好朋友黄菊来了。

安琪儿一下子从床上坐起来，她看见黄菊的手上提着一只小篮子，上面盖着一块柔软的花绒布。安琪儿的心怦怦地跳起来，她好像有一种预感——幸福的时刻已经来临！

"这是我送给你的生日礼物！"

黄菊双手捧着小篮子，安琪儿揭开花绒布，里面真的是一只珍珠熊——安琪儿想了很久的珍珠熊。

安琪儿向珍珠熊伸出双手，珍珠熊很乖，一下就跳到了安琪儿的手心里。

珍珠熊舔着安琪儿的手心，痒酥酥的，她心里装满了温暖的感觉。

这一天，是安琪儿的生日。她没有开生日Party，也没有去游乐场，但她过得很幸福，很快乐，因为她一直和珍珠熊在一起。

歌星和医生

马小跳和安琪儿住在一层楼上。这一层楼一共有三户人家，除了马小跳家和安琪儿家，还有韩力哥哥家。韩力哥哥是医科大学毕业的大学生，现在一家大医院当外科医生。马小跳和安琪儿都很崇拜韩力哥哥。马小跳崇拜韩力哥哥长得高，他有一米八的身高，骑在本田摩托上简直就是一个威武的骑士。安琪儿崇拜韩力哥哥长得帅，还爱唱歌，每次她到他家里去，他都抱着吉他在唱歌。

韩力哥哥不太喜欢马小跳，因为马小跳不会安安静静地坐在那里听他唱歌，无论他唱得多么动情，马小跳都无动于衷。他脚不停，手不住，还会弄出一些噪声来破坏他的歌声。而安琪儿却不这样，她总是静静地

坐在那里听。

"你喜欢这支歌吗？"

韩力哥哥唱完一首歌，就会放下吉他，走过来握住安琪儿的两只小手，这样问她。

安琪儿点点头。

"我再给你唱一支歌，好不好？"

安琪儿又点点头。

韩力哥哥接下来唱的是一首忧伤的歌曲，听着听着，安琪儿的眼睛里就有了泪光。

韩力哥哥唱完，放下吉他，又走过来握住安琪儿的两只小手："你真是个有灵性的小女孩。"

"可是——"安琪儿说，"他们都说我是弱智儿童……"

"谁说的？"

"同学、老师，有时，我妈妈也这么说。"

"他们都是胡说。"韩力哥哥很严肃地告诉安琪儿，"安琪儿，你要记住，你跟别的孩子是一样的。有时候，你甚至比其他的孩子还有灵性。"

安琪儿相信韩力哥哥说的每一句话。

自从马小跳他们几个让安琪儿当了拉拉队队长后，以前的拉拉队队长路曼曼就不理安琪儿了。路曼曼成绩很好，还是中队长，在班上有一大帮追随者。好多女生见路曼曼不理安琪儿，也跟着不理她，还说她是"弱智儿童"。

"我不是弱智儿童。"安琪儿开始反抗了，"韩力哥哥说，我跟你们是一样的孩子。"

路曼曼朝安琪儿翻翻白眼："韩力哥哥是谁呀？他是什么了不起的大人物吗？"

安琪儿说："韩力哥哥会唱许多歌，中国歌、外国歌他都会唱。"

"他是歌星吗？"

一下子围过来好多女生，她们最崇拜歌星，文具盒里全藏着歌星的照片。

不一会儿，班上的同学都知道安琪儿有个当歌星的韩力哥哥。

"我不信。"路曼曼不服气，"除非你把韩力哥哥带来，让我们看看。"

安琪儿去找马小跳想办法。

"马小跳，怎么办？"

"太好办了，你把韩力哥哥带去给她们看就是了。"

"韩力哥哥又不是一件东西，你说怎样带？"

说得对，韩力哥哥又不是一件东西，他是一个大活人，怎么带？

眼看着安琪儿的两条眉毛就耷拉下来，嘴巴也撇了下来，这是安琪儿要哭的表情。马小跳最见不得安琪儿哭，他把胸脯拍得啪啪响："有我马小跳在，你别怕！"

马小跳要帮安琪儿，是冲路曼曼来的。路曼曼是他的同桌，每天都要在一个小本子上记录马小跳的不良表现，然后去向秦老师报告。凡是路曼曼反对的，马小跳就要拥护；凡是路曼曼拥护的，马小跳就要反对。总之，马小跳要跟路曼曼对着干。

安琪儿不知道马小跳到底做了些什么，反正第二天下午放学时，安琪儿排在队伍里面，一出校门，就看见了韩力哥哥。他背着电吉他，一只脚跨在摩托车上，一只脚蹬在地上，两条腿显得好长好长。

韩力哥哥在向安琪儿挥手："安琪儿！"

"韩力哥哥！"

安琪儿朝韩力哥哥跑去。

放学的队伍散了，同学们都上去围住韩力哥哥。

"看，他就是韩力哥哥！"马小跳得意洋洋地向大家介绍韩力哥哥，"这是他的本田摩托车，这是他唱歌用的吉他，这是他……"

"哇——"夏林果当时就尖叫起来，"好酷哦！"

韩力哥哥那天真的很酷，他上面穿一件黑得发亮的皮夹克，下面穿一条洗得发白的牛仔裤，戴一顶红色的头盔，背一把电吉他，夏林果不尖叫才怪呢！

安琪儿跨上摩托车，双手抱住韩力哥哥的腰，头靠在他的背上。韩力哥哥一踩油门，红色的本田摩托飞驰而去。

女生们全看傻了。她们好羡慕安琪儿啊！她有一个这么帅、这么酷的歌星哥哥。

安琪儿受到了女生们的追捧。一下课，她们就围住安琪儿，让她讲韩力哥哥的故事。

这时候的安琪儿，幸福无比。

"韩力哥哥的故事多得很，不知道你们想听哪一个？"

大家都催着安琪儿讲最好听的。

安琪儿就讲道："有一次，一个病人的心脏不跳了，都快死了，韩力哥哥用手术刀哗的一声，划开他的胸口，给他安上一个机器心脏，这个病人又活过来了。"

女生们搞不懂了："歌星还会开刀呀？"

安琪儿说："韩力哥哥本来就是医生嘛。"

路曼曼指着安琪儿的鼻子："你为什么要撒谎骗我们？"

安琪儿莫明其妙地看着路曼曼，她没有撒谎，也没有骗人啊！

因为韩力哥哥是个医生，围着安琪儿的女生们大失所望，一个个都离开了。

"你们都不要走，听我说——"安琪儿大声地喊道，"医生也很了不起哦！"

见别人都不理她，安琪儿更大声地喊道："医生比歌星还了不起！"

"不许你胡说！"夏林果奋力反驳，"歌星永远比医生了不起！"

好多女生都站在夏林果一边，说为什么有那么多人找歌星签名，而不找医生签名？

安琪儿势单力薄，但她还是据理力争。

"如果你生病了，你是找医生还是找歌星？"

安琪儿把她们都问住了，她还要乘胜追问。

"如果你要死了，是医生能救你，还是歌星能救你？"

众人哑口无言。

安琪儿一个人打败了那么多人，她觉得自己也很了不起哦！

和韩力哥哥结婚

安琪儿觉得很奇怪，在学校的时候，路曼曼和夏林果都不爱理她；放学的时候，她们俩却争着和安琪儿一块儿走。以安琪儿目前的智力水平，她很难识破她们的阴谋诡计：她们是想在路上拿安琪儿寻开心。

"安琪儿，我们去看婚纱，好不好？"

每天，她们都要经过一家婚纱店。每天，她们都要站在橱窗外面看穿在模特儿身上的婚纱。

穿上婚纱当新娘子，是每个女孩子的梦想。

路曼曼说，她喜欢那件纯白的、镶着许多蕾丝花边的婚纱。

夏林果说，她喜欢那件蓝色的、胸前点缀着几朵小白花的婚纱。

"安琪儿，你喜欢哪件婚纱？"

在路曼曼和夏林果看来，安琪儿根本不配穿这么漂亮的婚纱，她们这么问，只是又想拿她寻开心。

安琪儿咽着口水，沉醉在无限的神往中："我喜欢那件——全身都绣满玫瑰花的那件。"

"安琪儿，你想穿着这件婚纱，跟谁结婚呢？"

安琪儿想都没有想，脱口而出："跟韩力哥哥结婚。"

"你跟韩力哥哥结婚？"

路曼曼的脸变形了，夏林果的脸也变形了。她们都见过韩力哥哥，他很高很帅，是安琪儿的邻居。

安琪儿不明白，路曼曼和夏林果的脸为什么要变形，她以为她们不相信她说的话。

"我长大了，真的要和韩力哥哥结婚。不信？你们去问马小跳。"

路曼曼和夏林果当然要问马小跳。马小跳是路曼曼的同桌，问他还不容易？

第二天，刚上第一节课，路曼曼就忍不住要问了。

"马小跳……"

"干什么？"马小跳一有机会就要报复路曼曼，"上课的时候，不许讲话！"

骄傲的路曼曼什么时候受过这样的气？但她现在什么感觉都没有，心里只有嫉妒，她嫉妒安琪儿。

老师讲的课，路曼曼一句都没听进去。她太想知道，她也一定要知

道，韩力哥哥是不是要和安琪儿结婚。

路曼曼忍气吞声，她的手伸到课桌下面，悄悄拉马小跳的衣服。

"马小跳，我只跟你说一句话……"

马小跳斜着眼睛看了一眼路曼曼，平时都是他求路曼曼，路曼曼从来不求他，今天怎么啦？马小跳也想知道。

"有话就说，有屁就放。"

如果在平时，路曼曼会把马小跳说的这句脏话记在那个专门用来记录他不良表现的小本子上，但是现在，这些都变得不重要了。

"安琪儿说，她长大了，韩力哥哥要跟她结婚。这是不是真的？"

"千真万确。"

路曼曼的脸又因嫉妒而变形了。

"安琪儿又笨又丑，韩力哥哥怎么会和她结婚？"

看路曼曼气成这样，马小跳开心死了。他偏要再气气她。

"韩力哥哥就喜欢安琪儿这样的女孩子。"

"马小跳，你在说什么？"老师看见马小跳在说话了。

马小跳反应很快，他说是路曼曼找他说的。

老师很喜欢路曼曼，听马小跳这么一说，也不再追究下去。

一下课，路曼曼就去告诉夏林果："韩力哥哥要跟安琪儿结婚是真的。"

夏林果又去告诉唐飞，唐飞又去告诉……不一会儿，班上好多同学都知道了安琪儿要和韩力哥哥结婚。

长得像企鹅的唐飞最好吃，他现在就向安琪儿要喜糖吃。

"安琪儿，结婚是要发喜糖的哦。你快发喜糖给我们吃。"

安琪儿很认真地回答："结婚的时候才有喜糖吃。"

长得像猿猴的毛超，嘻皮笑脸地问道："你什么时候结婚呢？"

安琪儿还是很认真地回答："该结婚的时候就结婚了。"

第二节课是数学课，有几个同学还在下面交头接耳，议论安琪儿结婚的事。教数学的钱老师最不能容忍他上课的时候有人在下面讲话，他发现唐飞和同桌的夏林果一直在下面讲话，就生气地叫他们都站起来。

"你们在下面说什么，说得那么津津有味？"

遇到这种情况，唐飞经验丰富，他知道主动交代，揭发别人，可以将功补过。

"不是我们说的，是马小跳说安琪儿要结婚……"

笨女孩安琪儿

"无聊！"数学老师勃然大怒，"马小跳，你小小年纪，思想就这么复杂！"

马小跳不服："是安琪儿自己说要和韩力哥哥结婚的嘛。"

数学老师快被气昏了："安琪儿，你给我站起来！"

安琪儿站起来，一脸无辜地看着数学老师。

"安琪儿，你知道你的学习成绩为什么差吗？"

安琪儿看着数学老师，茫然地摇头。

"你满脑子都装着这些乱七八糟的事情，学习成绩怎么会好？"

下课后，数学老师把安琪儿带到办公室，交给班主任秦老师来处理。

秦老师比数学老师还要生气。她一连喝了三杯水，才压住自己的火气，才跟安琪儿说话。

"安琪儿，你知道自己错在哪儿吗？"

安琪儿不用想，就很坚决地回答："我没有错。"

秦老师马上意识到，像安琪儿这样的智障儿童，脑筋不会转弯，只认死理，如果她以为没错，她是不会认错的。但她又认为安琪儿的问题确实十分严重，只有请她家长来配合教育她。

秦老师给安琪儿的妈妈打了电话。

安琪儿一回到家里，安妈妈就哭起来，还一边哭，一边说："你这么小的年纪，就说什么结婚，真是给我丢人现眼……"

安妈妈哭着哭着，又说起她四十岁才生下安琪儿，安琪儿来之不易这些话，安琪儿早就听烦了，就走到一边去看她妈妈穿着婚纱的结婚照。她一边看，一边想，越想越不明白：结婚不是一件很好的事情吗？为什么老师要生气，妈妈要生气？他们那么生气，为什么他们又都要结婚呢？

小孩子为什么不像小孩子

那天下午放学后，同学们正在收拾书包，准备回家，校长突然闯进教室，后面还跟着一个报社的记者。这个记者很年轻，如果她不戴眼镜，也许还算得上是一个美女。马小跳的审美观是，再美的美女，只要一戴上眼镜，就算不上什么美女了。

"同学们——"校长一讲话就是作报告的腔调，"这位记者要在咱们班作一项调查，调查什么呢？过一会儿，她会给每个同学发一份调查表，一定要严肃认真地对待，想好了再填。我的话你们听明白了吗？"

"听明白了。"

校长很不满意这种稀稀拉拉、拖腔拖调的回答，他提高声音又问了一遍："听明白了吗？"

"听明白了！"这次的回答很整齐，很响亮，校长满意了，十分绅士地向年轻的女记者做了个"请"的动作，然后退到教室门口。

"非常抱歉，我只占用同学们一点点时间。"这位女记者非常客气，她并没有把同学们当小孩子对待，"我的调查内容非常简单，现在有三种选择摆在你们的面前：聪明、漂亮、有钱，你只能选择其中的一样，你们在选定的那个词的下面打一个钩就可以了。听明白了吗？"

马小跳把手高高地举起来。女记者和颜悦色地走到马小跳的座位前："这位同学，你有什么问题？"

"可不可以三样都选？"

"马小跳，你老毛病又犯了？"

秦老师不知什么时候进了教室，马小跳被她逮个正着。人家说话的时候，马小跳不长耳朵听，人家说完了，他又来问，这确实是马小跳的老毛病。他一年级时就有这毛病，现在读三年级了，这毛病还没改。

女记者在发调查表，秦老师赶紧给大家敲警钟："同学们一定要严肃认真地对待这张调查表。这三种选择不是只画一个钩那么简单，这个钩可以反映出你们的思想品质，反映出你们有没有高尚的情操，反映出你们是不是有理想、有抱负……"

马小跳的老毛病又犯了，秦老师在说什么，他一句都没有听进去。他的眼睛一直盯着女记者，盼望着她快点把调查表发到他手上。

调查表终于发到了马小跳的手上，马小跳毫不犹豫地在"有钱"下面画了个大大的钩。马小跳画完了，就去看他的同桌路曼曼画的是什么。

笨女孩安琪儿

路曼曼在"聪明"下面画了一个大大的钩。

"哇，你都那么聪明了，还想聪明，你是不是想成人精啊？"

"马小跳，你在说什么？"秦老师又逮住了马小跳。

路曼曼向秦老师报告："我选择的是'聪明'，马小跳说我想成人精。"

"马小跳，放学后不许走，到我办公室来。"

马小跳无所谓，他经常放学后被秦老师留下来。他转身去看坐在他后面的夏林果画的是什么。他想，路曼曼是班上最聪明的女生，她还想要聪明，夏林果是班上最漂亮的女生，她是不是还想要漂亮呢？

结果，马小跳看见夏林果也在"聪明"的下面画了一个大大的钩。

马小跳转身看唐飞的，唐飞居然也在"聪明"下面画了一个大大的钩。

"唐飞，你不想有钱啊？"

"去！"

"你那天还说，你长大了要当百万富翁。"

唐飞说："从现在起，我要做有理想、有抱负的人。"

马小跳突然发现唐飞很假。他前面是毛超，他扑在毛超的肩膀上，看他选的是什么。

毛超选的是"聪明"，坐在他旁边的女生也选的是"聪明"。

女记者把调查表收起来，跟秦老师到了办公室。马小跳也来到办公室。秦老师迫切地想知道调查的结果，她已经忘了是她叫马小跳到办公室来的。

"你来这里干什么？"

"是你刚才叫我来的。"

女记者一张一张地在整理调查表，校长和秦老师都在等着看她的调查结果。"全班同学，除了一个男同学选择'有钱'，一个女同学选择'漂亮'外，其余的都选择了'聪明'。"

马小跳看见校长和秦老师都露出很高兴的笑容。可那位女记者，看不出她是高兴，还是不高兴。

第二天，秦老师在班上说："昨天的调查结果，我还是比较满意的，全班同学，除了一个男同学选'有钱'，一个女同学选'漂亮'，其他同学都选的是'聪明'，这充分说明了我们班除了极个别同学外，大多数同学都有理想、有抱负、有健康的人生追求……"

下课后，同学们都在猜测：这个选"有钱"的男同学是谁？选"漂亮"的女同学又是谁？

"你们不用猜，这个人就是我。"马小跳一副敢作敢当的样子，"我

就是想有钱，有钱可以开公司，有钱可以给我妈妈买漂亮别墅，有钱可以周游全世界，有钱可以……"有钱的好处太多了，马小跳说都说不完。

　　那个选"漂亮"的女同学是谁呢?同学们猜来猜去，猜到上课铃响，也没猜出来。隐隐约约地，马小跳有一种感觉：这个选"漂亮"的人应该是安琪儿。因为他常常有一种遗憾：安琪儿性格还可以，就是太不漂亮。如果她有夏林果的一半的漂亮就好了。如果，如果他是安琪儿，他也会毫不犹豫地选择"漂亮"。

　　"安琪儿，我知道那个选'漂亮'的女同学就是你。"

　　安琪儿一下子就招了："马小跳，你怎么知道的?"

　　马小跳好不得意，他甚至以为他将来可以去做超级侦探。

　　当马小跳和安琪儿差不多都要忘记有个年轻的女记者在他们班搞调查这件事情时，这个女记者写了一篇题为《一次调查活动引发的思考》的文章，并在社会上引起了轰动，许多人都在思考这个女记者提出的一个问题：现在的小孩子为什么不像小孩子?

疯丫头杜真子

4

疯丫头来了

一遇到马天笑先生对马小跳笑得不是那么自然，还带着讨好的意思，而马小跳的宝贝儿妈妈又做出格外温柔的样子，不停地问他吃不吃这样，吃不吃那样，马小跳就知道，他们肯定有不好讲的话要对他讲，而这些话，马小跳听了可能会跳起来。

"马小跳，有一件事情……唉，还是宝贝儿妈妈讲吧！"

马天笑先生一直叫马小跳的妈妈"宝贝儿"，所以马小跳也一直叫妈妈为"宝贝儿妈妈"。

"是这样的，马小跳。"宝贝儿妈妈挨着马小跳坐下来，手就在他的脊背上摸来摸去，像对付不好对付的猫一样，希望这样能把马小跳安抚下来，"你姨妈要去美国住半年，杜真子要来我们家住半年。"

"我坚决不同意！"

马小跳果然跳了起来。杜真子是他姨妈的女儿，是他的表妹，比他小三个月。杜真子的爸爸在美国做访问学者，开始说访问一年，到现在已经访问了三年，还不回来，说要把一个尖端课题研究完了再回来。结果，姨妈隔三岔五地往美国跑，把杜真子一会儿寄养在她奶奶家，一会儿寄养在她外婆家。她的外婆，也是马小跳的外婆。

"她为什么不去她奶奶家，不去外婆家？"

宝贝儿妈妈说："她奶奶、外婆都管不了她。"

"马小跳，你是杜真子的表哥，也许你能管住她。"

马天笑先生的这句话，马小跳爱听，但是他确实不喜欢杜真子。在这个世界上，马小跳最讨厌两个女孩子：一个是他的同桌路曼曼，另一个就是他的表妹杜真子。如果杜真子是夏林果那种类型的女孩子，别说在他家住半年，就是住一年、三年、八年，就是一辈子住在他家，马小跳也热烈欢迎。

杜真子有一样东西，可以动摇马小跳那坚定的决心。杜真子有一只心爱的猫，这猫很怪，它会笑。她走到哪儿，就把猫带到哪儿。她的奶奶、外婆都不喜欢这只猫，说它是猫精、猫怪。马小跳却对这只猫特别感兴趣，他怎么也想不通：这只猫为什么会笑？

"杜真子会带那只猫来吗？"

"猫？"马天笑先生也知道那只猫，"那只会笑的猫？"

马小跳松口了："如果杜真子把那只猫带来，我还可以考虑考虑。"

Feng ya tou Du Zhenzi

"她肯定会带来的。"宝贝儿妈妈说,"杜真子跟猫,比跟她妈妈还亲。"

第二天,杜真子就来了,风风火火地来了。她一手抱着那只会笑的猫,一手拖着一个大轮箱,一进门便大呼小叫。

"最最亲爱的姨妈!最最亲爱的姨父!"

可一看见马小跳,却眼睛一闭,嘴巴一撇:"讨厌!"

马小跳有一些时候没见到杜真子了,今天一见她,突然发现,杜真子原来一张圆圆的脸,现在怎么变成了一张短短的猫脸了?还有,她原来的眼睛也没有现在这么大呀,还闪着绿光。

"杜真子,你越长越像猫了!"

杜真子一点都不生马小跳的气,她说爱跟谁在一起,就会跟谁长得一样。她爱跟猫在一起,自然会越长越像猫。

"你会不会像猫那样长出一条尾巴来?"

"马小跳,你想气死我吗?"

杜真子尖叫着朝马小跳扑去,马小跳躲闪开,杜真子一头栽在沙发上。如果是别的女孩,早就哭鼻子了,或者去向大人告状了。杜真子可不，她像什么事都没发生一样，一本正经地问马小跳："我住哪儿？"

马小跳说："沙发。"

杜真子可不买马小跳的账，她拖起轮箱就往马小跳的房间里走。

"干什么？干什么？"马小跳追了过去，"那是我们男生的房间，女生不能进去！"

"从今天起，本小姐住这个房间了。"杜真子把她的轮箱横在门口，"女生房间，男生免进！"

砰的一声，杜真子关上了房门。

"宝贝儿妈妈，杜真子把我的房间占了！"

"马小跳，你是男孩子，杜真子是女孩子，要有点绅士风度嘛！"马

Feng *ya* *tou* *Du Zhenzi*

疯丫头杜真子

天笑先生拍拍马小跳的肩膀，"你做表哥的，就把房间让给表妹住吧！"

如果不把房间让给杜真子，就没有绅士风度。马小跳怕落个"没有绅士风度"的恶名，只好把房间让给杜真子住。

"我睡哪儿呢？"

"沙发。"

马小跳顿时觉得他在这个家里的地位，一落千丈。

宝贝儿妈妈赶紧说："如果你不愿睡沙发，睡在书房里也行。"

马天笑先生却说："如果你在灯光的照射下也睡得着的话，你就在书房里睡吧！"

马天笑先生白天在玩具厂当厂长，晚上在书房里搞设计，经常搞到半夜。书房里亮着灯，怎么睡得着？

马小跳说："我还是睡在客厅的沙发上吧！"

嘭！嘭！嘭！

有三大包东西从马小跳的房间里被扔出来，一包是马小跳的衣服，一包是马小跳的书，一包是马小跳的玩具。

"杜真子，你把门打开！"

马小跳使劲地拍着门。拍不开，又推。

门一下子开了，马小跳扑进房间里。

"出去！"

"这是我的房间！"

"现在是我的！"

啪的一声，杜真子把一张写着大字的纸，贴在了门上：

女生寝室

男生免进

有这样的表妹，马小跳只好自认倒霉。他一面劝自己"好男不与女斗"，一面从他的房间里退了出来。

好男不与女斗

自从杜真子住进马小跳的房间，马小跳就再也没有进过他自己的房间。只要马小跳想走进他的房间，杜真子就会指着门上贴的那张纸，问马小跳："你不识字呀？"

马小跳当然识字，那纸上写的是：

女生寝室

男生免进

有个女孩子在家里，马小跳的生活变得别扭起来。马小跳习惯睡觉的时候，只穿条小裤衩。有一天晚上，马小跳只穿一条小裤衩，抱着衣服从卫生间里出来，正遇上去卫生间的杜真子。

"啊——"

杜真子发出一声尖叫，双手捂住眼睛。

马天笑先生从书房里冲出来，宝贝儿妈妈也从卧室里冲出来，他们以为发生了什么事。

"杜真子，你的眼睛怎么啦？"

杜真子的手还捂着眼睛："我看了不该看的东西，眼睛会烂掉的。"

马天笑先生问："你看了什么不该看的东西？"

"马小跳的裸体。"

马小跳奋起自辩："我穿了内裤。"

杜真子还是不肯把手从眼睛上放下来："你为什么不穿睡衣？"

"我从来不穿睡衣。"

"我在这里，你必须穿睡衣。"

"我就不……"

"马小跳，要有绅士风度。"宝贝儿妈妈又护着杜真子，"你就穿上睡衣吧！"

马小跳还是不肯就范。

"喵——"

杜真子带来的那只猫叫了一声，它的两只眼睛闪着绿光，一直在对马小跳冷笑。

马小跳倒吸一口冷气，全身的汗毛都竖了起来。他知道这只猫会笑，但不知道这只猫还会冷笑。

尽管马小跳热爱一切有生命的小动物，包括这只会笑的猫，但这只

Feng ya tou Du Zhenzi

会笑的猫一直对他充满了敌意，因为他老和杜真子吵来吵去，会笑的猫当然会站在它主人杜真子那一边。

马小跳不是怕杜真子，他是因为怕这只猫，才心不甘、情不愿地穿上睡衣、睡裤。当然，他一边穿，嘴里一边嘀咕："好男不与女斗。"

天快亮的时候，是马小跳睡得最香的时候。

"啊——"

杜真子又在卫生间里尖叫起来。

"又怎么啦？"

马天笑先生打着哈欠从卧室里出来。

"马小跳解了小便，不冲马桶！"

杜真子一手捏着自己的鼻子，一手去揪马小跳的耳朵，把他从热被窝里揪起来。

"去，去把马桶冲干净！"

马小跳睁不开眼睛，他还没睡醒。

马天笑先生说："我去冲，我帮他冲！"

"不行！"杜真子态度坚决，"我最讨厌解小便不冲马桶的人，我一定要马小跳亲自去冲。"

马小跳在睡梦中，他根本不知道杜真子在说些什么。

"马小跳，你起来!"

马小跳睡得太死，杜真子揪他的耳朵，他都不觉得痛。可是，尽管他是闭着眼睛的，他也能感到有一双眼睛正瞪着他。

马小跳睁开眼睛，那只会笑的猫就蹲在他的枕边，两只绿光闪闪的眼睛正瞪着他。

"你……"

马小跳拉上被子，蒙上他的眼睛。

"喵——"

会笑的猫伸出爪子，拉下被子。马小跳又看见会笑的猫在冷笑。

马小跳全身的鸡皮疙瘩在紧急集合。他从沙发上滚下来，然后跑进卫生间里。

哗!哗!哗!

马小跳把马桶冲干净，回到被窝里，却再也睡不着了。一闭上眼睛，就觉得杜真子带来的那只猫，在对他冷笑。

马小跳毛骨悚然，不敢再睡。听到宝贝儿妈妈已经在厨房里做早

餐，便悄悄来到厨房里。

"宝贝儿妈妈，杜真子什么时候走？"

"才刚来一天，怎么就想人家走？"

马小跳大放悲声："我快活不下去了。"

"怎么会呢？"宝贝儿妈妈根本不把马小跳当回事儿，"杜真子就住半年，半年的时间很快就过去了。"

才来一天，马小跳就有度日如年的感觉。半年是多少天？至少有一百八十天，这日子怎么过呀？

马小跳在台历上，把过去的一天画了个红圈。马小跳的心情好了一点，他想，画完一百八十个红圈圈，他就不会再有度日如年的感觉了。

早餐的时候，马小跳习惯喝半杯牛奶，吃一个鸡蛋，再吃两片面包夹花生酱，再吃一根香蕉或一个苹果。

"马小跳，你怎么可以才喝这么一点点牛奶？"

杜真子的眼睛睁得又圆又大，在她短短的猫脸上，几乎占了一半的面积。

马小跳朝杜真子翻翻白眼："我喝多少牛奶，你也管？"

"我怎么能不管?"杜真子说,"你知道人家美国男孩子为什么长得那么高大,那么漂亮?人家每天都咕咚咕咚地喝牛奶,要喝几大杯呢!"

杜真子也跟她妈妈去过美国,她最爱拿美国的男孩子跟马小跳比。

"人家美国男孩子喝牛奶喝成小牛,跟我也没关系。"

"怎么没关系?"杜真子大呼小叫,"你是我表哥,你长成这个样子,不是丢我的脸吗?"

马小跳气得要死,宝贝儿妈妈和马天笑先生却开怀大笑。

杜真子不由分说,给马小跳倒满一大杯牛奶:"喝!喝完它!"

马小跳哪里肯喝?正准备反抗,那只会笑的猫跳上桌来,马小跳又看见它在冷笑。

马小跳在心里说"好男不与女斗",端起那杯牛奶,咕咚咕咚……

那只会笑的猫

马小跳被他的表妹杜真子逼着，不，应该说是被那只会冷笑的猫逼着，咕咚咕咚，喝下了一大杯牛奶。他从来没有喝过这么多的牛奶，整个上午，他的肚子都咕咕地乱响，坐在他前面的毛超都听见了。

"马小跳，你是不是要拉稀？"

马小跳恶狠狠地说："都是被那个杜真子害的！"

"杜真子是不是你的表妹？"毛超还记得马小跳给他们讲过杜真子，"就那个疯丫头？"

"烦都烦死了。"马小跳说，"她现在住到我们家来了。"

"烦什么呀？你不知道，家里只有一个孩子一点都不好玩。"毛超凑近马小跳，"马小跳，她长得怎么样？"

"不怎么样。"

"不跟夏林果比，跟路曼曼比，怎么样？"

夏林果是班上最漂亮的女生，路曼曼没有夏林果漂亮，但看着还顺眼，只有马小跳看她不顺眼，因为她老管马小跳，跟杜真子一样。

"差不多。"马小跳没好气地说，"她长着一张猫脸、一双猫眼，长得跟她带来的那只猫一模一样。"

"跟猫长得一模一样，一定很好玩吧？"

马小跳一想起杜真子折磨他的种种事情，心里就不舒服。

"杜真子一点都不好玩，可她带来的那只猫很好玩，会笑。"

"猫会笑？我不相信。"毛超问坐在马小跳后面的唐飞，"唐飞，你相信猫会笑吗？"

"谁的猫会笑？"

唐飞对这些事情最感兴趣。

"杜真子带来的猫不但会笑，还会冷笑，还会大笑，还会……"

"马小跳，你在编故事吧？"

"唐飞，我不骗你。"马小跳就怕别人不相信他说的话，"那只猫对我总是冷笑，对杜真子总是大笑。"

唐飞恨不得马上就能见到那只猫。

"马小跳，今天下午放学，我们去你家。"

"去我家干什么？"

唐飞说："去看那只会冷笑、会大笑的猫。"

毛超说："还有你那个长得像猫的表妹。"

马小跳、毛超、唐飞和张达这四个男生，是四个形影不离的好朋友。唐飞和毛超都要到马小跳家去，张达也得去。

张达不喜欢猫，因为他怕猫。在他小时候，猫曾经抓过他。直到现在，他的手背上，还留着猫抓的三道伤痕。

"猫……猫有什么好看的？"

唐飞说："那只猫会笑。"

毛超说："马小跳还有一个表妹，叫杜真子，长得跟猫一模一样。"

下午放学后，四个人来到马小跳家。

那只会笑的猫从马小跳的房间——哦，现在是杜真子的房间里跑出来，它以为是杜真子回来了，所以它满脸笑容。但一看是马小跳，还有三个它不认识的人，它脸上的笑容一下子就消失了，那模样也没什么特别的地方。

唐飞说："这猫哪里会笑呀？"

毛超说："我看见它刚从房间里跑出来的时候，脸上好像在笑。"

唐飞大摇大摆地朝猫走去："喂，你对我笑一笑！"

猫瞪着唐飞，眼睛闪着绿光，唐飞本来已伸出手去想摸摸它的脸，这会儿，手不禁在半空中停住了。

"喵——"

猫的耳朵动了动，嘴咧开了。

"看，它笑了！"马小跳说，"是冷笑。"

那冷笑的猫，样子十分可怕。四个人身上的汗毛都竖了起来。

"你……你别那样笑啊！"

唐飞挤出一脸讨好的笑。

那猫脸上的冷笑不见了，也挤出一脸讨好的笑。

"这种笑叫什么笑？"

毛超说："媚笑。"

"哈哈哈！"

四个人一起大笑起来。

那猫眯起眼睛，咧大嘴巴，它也会大笑。

这猫不简单，它会模仿人的笑。

"还有什么笑？"

他们搜肠刮肚，想有关"笑"的词语。

疯丫头杜真子

"苦笑。"

"苦笑怎么笑？"

毛超说："苦笑就是你心里想着痛苦的事情，脸上却要笑出来。"

"我知道，我知道，苦笑是这样笑的。"

马小跳心里想着杜真子折磨他的事情，脸上却要笑出来，大家都说马小跳的苦笑很标准。

马小跳对着猫苦笑，猫皱皱眉头，咧咧嘴，它也苦笑。

"看，它苦笑了！"

那只会笑的猫，笑得还真苦。

"傻笑！"唐飞说，"我来傻笑。"

"你本来就傻。"

唐飞现在没有心情跟毛超打口水仗，他全部的心思都在这只会笑的猫身上。

唐飞对着猫傻笑："嘿，嘿嘿……"

猫歪着头，斜着眼，咧着嘴，它也傻笑。

那只会笑的猫，笑得还真傻。

"狂笑!"毛超说,"我来狂笑——哈!哈!哈!"

毛超笑得浑身乱颤,那样子像触了电一样。那只猫笑得更狂,笑得全身的毛都竖了起来,背也弓了起来。

猫好像很喜欢狂笑,笑起来就停不下来。

"这猫的笑神经太发达了。"

猫终于笑累了,不再狂笑,但它脸上还带着一种笑。

马小跳问:"你们看,这是什么笑?"

张达说:"皮笑……肉不笑!"

瞧,这群精门笑

猫脸小女巫

　　那只会笑的猫一阵狂笑之后，就一直做出皮笑肉不笑的样子。以后，随便马小跳他们怎么逗它，随便他们做出多少种笑来要它模仿，它也不理不睬。它蹲在杜真子住的房间门前，皮笑肉不笑地望着他们。

　　唐飞指着门上贴的"女生寝室，男生免进"的纸条问："马小跳，这是你的房间，怎么变成女生寝室了？"

　　唐飞戳到了马小跳的痛处，这让他在几个好朋友面前很没面子。他冲上去想撕下那张纸条，只见那只守在门前的猫把背弓了起来。

　　"喵呜——"

　　皮笑肉不笑的猫变成了一只狞笑的猫。只要马小跳再往前走一步，它就可能对他不客气。

　　马小跳心里发憷，全身的汗毛都竖起来了。他跟猫对峙着，腿却在发抖。

　　"怎么，马小跳，你怕啦？"

　　毛超在一旁煽风点火，他想看马小跳和猫的搏斗。马小跳识破了毛超的阴谋诡计，他才不会跟猫搏斗呢！

马小跳对付杜真子的精神胜利法是"好男不与女斗"，对付猫的精神胜利法，当然是"好人不与猫斗"。

马小跳自动败下阵来，却要给自己找台阶下："我才不去撕呢！谁贴上去的，我叫谁撕下来。"

"马小跳，我很同情你啊！"毛超假惺惺的，"你在学校，被路曼曼欺负；在家里，被你表妹欺负。"

毛超又戳到了马小跳的痛处。他咬牙切齿："杜真子，你这个长着一张猫脸的小女巫……"

"喵呜——"

杜真子带来的那只猫又弓起背来，脸上带着一种杀气腾腾的笑，两只眼睛绿光闪闪，像在喷射着绿色的怒火。

难道猫能听懂人话？

"狗和猫都……都能听懂……懂人话。"张达非常怕猫，"马小跳，你不要再说……你表妹的坏……坏话了。"

猫似乎真能听懂人话，听张达这么一说，它给了张达一个灿烂的笑脸，让张达受宠若惊。

毛超总想挑起事端，他又挑拨道："马小跳，你让你表妹撕，你表妹会撕吗?"

毛超说的是撕杜真子贴在门上的那张"女生寝室，男生免进"的纸条。

反正杜真子不在家，马小跳想说什么就说什么："我叫她撕，她就得撕!"

正在这时，杜真子自己用钥匙开门进来了。那只会笑的猫，脸上笑得像一朵花，跑上去迎接她。

杜真子抱起猫，问马小跳："马小跳，你刚才在说什么?怎么不说啦?"

"他说……"

杜真子的那双猫眼盯着毛超："你是谁呀?"

"他是毛超。"

"哦，我一看就知道你是毛超。"

毛超自我感觉良好："你怎么知道的?"

"因为你长得像猿猴。"杜真子一笑，"我还知道你是废话大王。"

这肯定是马小跳说的。毛超从后面，踢了马小跳一脚。

杜真子走到唐飞面前："我还知道你叫唐飞，你真的很像企鹅呢！你为什么不到南极去？"

咯咯咯！

嘎嘎嘎！

呵呵呵！

毛超、张达和马小跳笑得东倒西歪。唐飞没有理会他们，他看杜真子已经看呆了：她的眼睛那么那么圆、那么那么大，眼睫毛那么那么长，脸那么那么短、那么那么尖，额头上还留着一排整整齐齐的刘海。唐飞喜欢看日本漫画，漫画上的美少女都是这样的长着猫脸、猫眼的女孩。

唐飞还在发呆，杜真子却抱着猫来到张达的跟前。张达怕猫，连连后退。

"如果我没有猜错的话，你就是张达，又叫河马张达，我还知道你是飞毛腿，喜欢和汽车赛跑……"

张达已经没有退路了。他的身体抵在墙上。

马小跳大喝一声："杜真子，张达怕猫，你快把猫放下！"

杜真子放下猫，她问张达："像你这么酷的男生，怎么会怕猫呢？"

几个男生搞不懂的是：凡是女生，为什么都会觉得张达酷呢？他们觉得张达一点儿都不酷，说话还结巴。

张达搞不懂的是：凡是女生，为什么都喜欢猫呢？夏林果是张达最喜欢的女生，她也喜欢猫。

杜真子不知道，张达是因为说话结巴才尽量少说话，她以为他是因为酷才不说话呢。

"像我们这样的女生，就喜欢你这样的男生。"

杜真子这么大胆、这么公开的表白，激起了众怒。

马小跳以表哥的身份教训杜真子："杜真子，不许你说这样的话！"

杜真子才不买马小跳的账呢！她故意激怒马小跳："像我们这样的女生，最不喜欢那种晚上睡觉不穿睡衣、解了小便不冲马桶、牛奶只喝一点点的男生。"

这分明说的就是马小跳嘛。

马小跳愤怒地跳起来："杜真子，你是个猫脸小女巫！"

马小跳和杜真子在这边吵，张达和唐飞在那边打。他们俩扭成一团，在沙发上滚来滚去。

毛超两边看热闹。

张达突然过来抓住毛超："唐飞他说……说杜真子比夏林果还……"

张达一急，就说不出话来。

"本来就是嘛，"唐飞大声说，"杜真子就是比夏林果漂亮，漫画上的女孩子都是照着她的样子画的。"

在见到杜真子以前，唐飞心目中最漂亮的女孩子一直是夏林果，现在不过才刚见杜真子一面，他就觉得杜真子比夏林果还漂亮，杜真子真的是一个小女巫啊！

客厅里有鬼

　　啪的一声，睡在沙发上的马小跳被惊醒了。他睁开眼睛，看见一个白色的影子，在客厅里飘来飘去。刚才那一声响，是白影子撞倒了椅子。

　　马小跳还没来得及叫出声来，白影子一闪，闪进了马小跳的房间——不，现在是杜真子的房间。

　　这是真实的，还是幻觉?马小跳太困了，他又睡着了。

　　第二天早晨，宝贝儿妈妈叫醒马小跳，见椅子倒在地上，就问马小跳是不是他弄倒的。

　　马小跳想起昨天夜里听到的那声响，还有白色的影子。

　　"不是我弄倒的。"

　　"不是你弄倒的，那是谁弄倒的?"

　　马小跳看见杜真子穿着白色的睡裙从房间里出来。

　　"杜真子，这椅子是不是你弄倒的?"

　　"不是我。"杜真子警告马小跳，"别冤枉好人。"

　　"奇怪了——"马小跳说，"昨天夜里，我看见有一个人，也穿着你这样的衣服，把椅子撞倒了，还发出了砰的一声响。"

"你别说梦话了！"宝贝儿妈妈拍了一下马小跳的头，"快吃早饭吧！"

吃早饭的时候，马天笑先生还嘲笑马小跳："马小跳，你的想象力挺丰富的嘛。什么白色的影子，你有没有打算写一本《聊斋》?"

马小跳不知道什么是《聊斋》。

"你连《聊斋》都不知道?"杜真子瞧不起马小跳才疏学浅，"《聊斋》里写的都是鬼故事。"

杜真子喝下最后一口牛奶，起身回房间。马小跳看着她的白色睡裙发呆，他又想起昨天夜里，在客厅里飘来飘去的白影子。

马小跳心事重重。

到了学校，马小跳找到毛超。和张达、唐飞比较起来，毛超的知识要渊博一点。

"毛超，我问你一个问题。"

毛超从来没有见过马小跳有这么严肃的表情，他自己先紧张起来。

"马小跳，你别吓我呀！"

"毛超，我问你，你说世界上有没有鬼?"

"马小跳，你看见鬼啦？"

马小跳把昨天夜里看见的事情，添油加醋地给毛超讲了一遍。

"真的，马小跳？"毛超半信半疑，"你的眼睛没出毛病吧？"

马小跳生气了："我的眼睛怎么会有毛病呢？我又不是丁文涛。"

丁文涛是三百度的近视眼，戴着一副哈利·波特戴的那种黑边圆眼镜。

"马小跳，那个鬼没对你怎么样吧？"

马小跳说："本来想要对我怎么样的，可是它撞倒了椅子，弄出了声响，就被吓跑了。"

"说不定今天晚上，鬼还会来。"

马小跳说："如果我睡着了，鬼就是来了，我也不会知道。"

"我有一妙计。"

毛超的鬼点子多的是。他把嘴贴在马小跳的耳边，叽叽呱呱地说了半天。

晚上，等宝贝儿妈妈和马天笑先生回到他们的卧室，杜真子也回到她的卧室——不，应该是马小跳的卧室，马小跳便开始行动了。

马小跳把一些面粉均匀地撒在客厅的地板上。这就是毛超的妙计：鬼来了，会在上面留下脚印。

马小跳躺在沙发上，等着鬼的到来。

等着等着，马小跳的上眼皮和下眼皮就打起架来，然后一觉睡到天明。

一睁开眼睛，马小跳就看地板——哇，地板上有脚印，但脚印很乱，还有旋转的痕迹。

"宝贝儿妈妈！"马小跳大呼小叫，"我们家来鬼了！"

宝贝儿妈妈从厨房里出来："马小跳，大清早说鬼，不吉利。"

"你看，地板上的脚印！"

"这有什么大惊小怪的？"宝贝儿妈妈说，"这也许是你爸爸的，也许是你表妹的。"

"这面粉是我在你们都进了房间后才撒下的。"马小跳问马天笑先生，"你夜里来过客厅吗？"

马天笑先生说没有。

马小跳又问杜真子："你夜里来过客厅吗？"

"我夜里到客厅来干什么？"杜真子朝马小跳翻翻白眼，"我神经病

瞧，这群……笑

呀？"

马小跳还在那里执著地研究鬼的脚印："杜真子，我还怀疑鬼到你的房间去过。你来看——"

鬼的脚印消失在杜真子的房门前。

马小跳顺藤摸瓜，想进杜真子的房间里去看个究竟，杜真子挡在门前："你不认得这上面写的字吗？"

马小跳当然认得那门上贴着的字条上的字：女生寝室，男生免进。

"这是我的房间！"

马小跳想推开杜真子，杜真子双手叉腰，稳如泰山："我现在住在里面，这就是我的房间。"

来硬的不行，就来软的。

马小跳嘻皮笑脸："杜真子，我是为了保护你，我怕鬼真的进去过，我只进去看一眼……"

杜真子捂住耳朵尖声大叫："姨妈！姨妈！我怀疑马小跳患了狂想症，快送他去医院！"

马天笑先生走过来警告马小跳："你再说鬼的事情，就送你去医院。"

　　宝贝儿妈妈也说，这两天，马小跳有点反常，还问他是不是心理压力太大了。马小跳知道，心理压力太大的人，容易得精神病，怪不得他们都说要把他送医院。

　　一个人这么说他，不足为奇。如果大家都这么说他，马小跳就对自己产生了怀疑。

　　到了学校，马小跳问毛超："你觉得我这两天是不是有点反常？"

　　毛超觉得马小跳莫明其妙地问出这些话来，就是反常。

　　"有点。"

　　"表现在哪些地方？"

　　毛超也说不上来。

　　"反正看着你就觉得你反常。"

　　马小跳想起杜真子说他有狂想症。

　　"毛超，你觉得我有没有狂想症？"

　　在毛超的眼里，马小跳一直就是一个爱狂想的家伙。

　　"马小跳，你不仅有狂想症，你的狂想症还很严重呢！"

　　"可是——"马小跳说，"昨天夜里，鬼真的又来了，地板上全是鬼

的脚印，可他们都不相信……"

　　毛超也不太相信。不过，他的兴趣不在那个鬼身上，而在给别人出鬼点子上。他让马小跳把耳朵伸过去，又给马小跳支了一招。

杜真子的梦游症

毛超又给马小跳支了一招，他让马小跳在地板上放一块粘鼠板。

"如果明天早上，这块粘鼠板不见了，我就相信你们家真的有鬼。"

这天晚上，马小跳放了一块粘鼠板在客厅的地板上，还把马天笑先生、宝贝儿妈妈和杜真子叫到现场。

"你们都看清楚啦，我把粘鼠板放在这里，如果明天早上，这粘鼠板不见了，就证明确实有鬼来过。"

"痴人说梦！"

杜真子转身进了她的房间。

马天笑先生和宝贝儿妈妈也说马小跳走火入魔，摇着头进了他们的

房间。

第二天早晨，马小跳睡得正香，就被宝贝儿妈妈摇醒了。

"马小跳！马小跳！"

马小跳挺身坐起："是不是鬼来了？"

"没有。" 宝贝儿妈妈说，"你看，粘鼠板还在那儿呢！"

马小跳一看，粘鼠板果然纹丝不动，还在那儿。

宝贝儿妈妈小心翼翼地把粘鼠板收起来，怕粘住人的脚板。

吃早餐的时候，所有的人都在嘲笑马小跳。

马小跳不甘心，还是坚持在夜里把粘鼠板放在客厅的地板上。

一连几个晚上，马小跳把粘鼠板放在哪里，早上一看，粘鼠板还在哪里。

"再放最后一个晚上。" 马小跳自己对自己说，"如果明天早上还在这里，我就从此打消鬼的念头。"

第二天早上，那个粘鼠板不见了。

"老爸，宝贝儿妈妈，鬼来过啦！"

宝贝儿妈妈从厨房里出来："马小跳，给你说了好多遍了，大清早说鬼不吉利，你怎么不长记性呀！"

马天笑先生从卧室里走出来："马小跳，你真的走火入魔啦？"

马小跳不理会他们的揶揄。他指着昨晚放粘鼠板的地方："你们看，粘鼠板不见了！"

马天笑先生问："你真记得你放了吗？"

"我就放在这里的，千真万确。"

宝贝儿妈妈说："会不会是老鼠拖走了？"

"粘鼠板那么大，老鼠拖不走的。"

"会不会是杜真子带来的那只猫？"

这倒有可能。

杜真子带来的那只猫，跟杜真子形影不离，它现在就在她的房间里。

马小跳去敲杜真子的房门。

"杜真子，快开门！"

"啊——"

杜真子一声撕肝裂肺的尖叫。

她又怎么啦？

杜真子穿着白色的睡裙来开门，粘鼠板居然粘在她的脚上。

"这……" 马小跳傻了，"怎么会粘在你的脚上？"

"马小跳，你敢说这不是你干的？"

杜真子的猫眼闪着绿光，她带来的那只会笑的猫，也对着马小跳狰狞地笑。

马小跳不怕杜真子，但是怕她带来的那只会笑的猫。

马小跳向后退："不是我，真的不是我……"

"马小跳，你给我过来！"

马小跳从来没见过马天笑先生这么凶过。他跟着马天笑先生来到书房。

"马小跳，你是个男孩子，长大了，应该是个顶天立地的男子汉。我最讨厌男孩子欺负女孩子！"

"我没有！" 马小跳大叫，"我可以发誓！"

宝贝儿妈妈在一旁说："马小跳不撒谎的。"

马天笑先生也知道，从小到大，马小跳干的坏事不少，是他干的他都承认，从来没有含糊过。马小跳有一百个缺点，一千个缺点，但有一个缺点，他没有，那就是撒谎。

"那……"马天笑先生不明白了，"粘鼠板怎么会粘在杜真子的脚上？"

吃早餐的时候，宝贝儿妈妈问杜真子："你晚上从你的房间里出来过吗？"

杜真子瞪圆了她的猫眼："我一直睡在床上的。不信，你们可以问我的猫。"

那猫真的能听懂人话，马上叫了一声，还笑了一笑。

这就奇怪了！

宝贝儿妈妈喜欢看侦探书，她心里一直有当侦探的情结。她暗下决心：一定要把这件事情查个水落石出。

宝贝儿妈妈睡觉没有马小跳睡得沉，有一点声音，她就会被惊醒。

这天夜里，宝贝儿妈妈被一声开门的声音惊醒了。她马上起来，悄悄打开一条门缝。这时，她看见杜真子穿着白色的睡裙，从她的房间出来了。她赤着双脚，双臂向前平伸着，走到厨房里。宝贝儿妈妈跟了进去。

"杜真子，你要干什么？"

　　杜真子好像没听见一样，也好像没看见宝贝儿妈妈一样，她打开冰箱，拿出一瓶矿泉水，咕咚咕咚地喝了半瓶，又放回冰箱，然后关上冰箱门。

　　杜真子从厨房出来，又到了客厅。她在客厅里跳起舞来，转圈的时候，身子失去平衡，一下子跌坐在沙发上。

　　"哎哟——"

　　马小跳就睡在大沙发上。刚才，杜真子坐到了他的身上。

　　马小跳醒了。

　　"宝贝儿妈妈，你们在干什么？"

　　宝贝儿妈妈却叫马小跳别出声。她跟着杜真子回到房间，杜真子爬上床，又呼呼睡去。

　　宝贝儿妈妈轻轻地为杜真子盖上被子，又轻轻地从她房间里走出来。

　　第二天，宝贝儿妈妈问杜真子："昨天夜里，你起来喝水了？"

　　"没有。"

　　杜真子回答得十分干脆。

马小跳说："杜真子，昨天夜里，你还坐在了我身上。"

"你胡说！"杜真子尖声大叫，"马小跳，快闭上你的嘴！"

如果不是宝贝儿妈妈亲眼看见，那么没有人会相信马小跳说的话。

后来，马小跳才知道，杜真子有梦游症，他在客厅里看见的白影子，就是穿着白色的睡裙在梦游的杜真子。

救救妈妈

自从宝贝儿妈妈知道杜真子有梦游症后，她对杜真子更好了。她一遍又一遍地告诫马小跳，一定要守住"杜真子有梦游症"这个秘密。

一个周末的早晨，宝贝儿妈妈给餐桌换了新的桌布，上面有精致的手工绣花。餐桌中央，摆着一个水晶花瓶，里面插着一大束鲜花。用香蕉、苹果、台湾青枣和樱桃番茄做的水果沙拉，盛在一个水晶果盘里。桌上的咖啡壶、装着砂糖的小瓷缸和那搅咖啡的小匙子，都别有一番情调。

杜真子坐在餐桌前，眼睛都看花了。

"亲爱的姨妈，我长大了，也要做一个像你这么有情调的女人。"

杜真子的话，把马天笑先生和宝贝儿妈妈都逗笑了。

杜真子接着说："我长大了，我就找姨父这样的人和我结婚。"

"好，有眼光！"马天笑先生心花怒放，兴致很高。于是，他说他要带马小跳和杜真子出去玩。

"我不去！"

马小跳才不想和杜真子一块儿出去玩呢！

"他不去，我们去。"

杜真子一手挽着宝贝儿妈妈，一手挽着马天笑先生，三个人亲亲热热地出了门。

马小跳站在窗子前，看着他们走出了院门。他想起早餐时杜真子说的那句话：如果把她换作马小跳，这个家庭就美满了。马小跳心里酸酸的，有一种被抛弃的感觉。

马小跳很少有这样伤感的时候，他好不容易伤感一次，还被电话铃声干扰了。

"喂……唐飞呀！"

"马小跳，你在干什么？"

"我没干什么。"

"表妹在干什么？"

马小跳终于明白唐飞打电话来是别有用心的。他警告唐飞："唐飞，我告诉你，杜真子是我的表妹，不是你的表妹。"

唐飞油腔滑调："马小跳，我们不是好朋友吗？你的表妹就是我的表妹，你不要这么小气嘛。"

马小跳想起刚才违心地给杜真子道歉，心里就窝囊，他忍不住要破坏杜真子在唐飞心中的美好形象。

"杜真子在夜里会……"

马小跳赶紧捂住话筒，打了自己一个嘴巴：连这点秘密都守不住，还是男子汉吗？还是大丈夫吗？

"马小跳，你说呀，杜真子在夜里会怎样？"

马小跳赶紧岔开话题："唐飞，杜真子请你上我们家来玩。"

反正马小跳一个人在家也寂寞得很，他很想看看唐飞来了，见杜真子不在家时的失望表情。

唐飞很容易就上钩了："杜真子真的请我了？"

"真的。"

"没有请张达，也没有请毛超？"

马小跳拼命地忍住笑："她才不会请张达、毛超，她只请你。"

"我马上来！"

马小跳笑得在沙发上翻跟头。他可以想象，像企鹅一样的唐飞，挺着肚子，跑得气喘吁吁的样子。

哈！哈！哈！

过了一会儿，唐飞到了。他满头是汗，像鱼那样张着嘴巴喘气，肚皮像青蛙的肚皮一样，一鼓一鼓的。

　　唐飞一进屋，眼睛就没看过马小跳一眼。

　　"表妹呢？"

　　"别表妹、表妹地叫，叫杜真子。"

　　"哦。"唐飞的眼睛到处瞅，"杜真子呢？"

　　"跟女孩子不好玩。"马小跳说，"我们俩玩吧！"

　　"跟你有什么好玩的？"

　　"你以前跟我不是玩得挺好的吗？就因为来了个杜真子，跟我就不好玩啦？"

　　唐飞心不在焉，跟马小跳玩飞镖，玩得一点都不认真。

　　正玩得没精打采的时候，宝贝儿妈妈和马天笑先生回来了。没精打采的唐飞，顿时精神抖擞起来。

　　"杜真子呢？"

　　"在街上做好事呢。"宝贝儿妈妈找出一个小塑料盆儿，交给马小跳，"你把这个给杜真子送去吧！"

　　"送这个干什么？"

　　"装钱用。"

马天笑先生很感慨的样子："杜真子这丫头，疯是有点疯，但心眼挺好的。"

原来，杜真子和马天笑先生、宝贝儿妈妈刚走到街心花园，就看见那里围了一大圈人。他们走近一看，只见一个三岁大的小女孩正在转呼啦圈，有好多人在帮她数数："三百八十七，三百八十八，三百八十九……"小姑娘已经转了三百多圈了。在她身旁，还立着一块纸板，上面写着"救救妈妈"，地上撒着一些钞票。旁边的人告诉他们，小女孩的妈妈患了脑瘤，没有钱动手术，小女孩在这里为她妈妈募集做手术的钱。

"这么小的孩子，就这么有孝心。"

宝贝儿妈妈把一张一百元的钞票，放在小女孩的脚边。

杜真子也把身上的钱全部搜出来，放到了小女孩的脚边。她见地上的钱撒了很多，就说她不去玩了，她要帮小女孩收钱，宝贝儿妈妈和马天笑先生就回来了。

"马小跳，杜真子还叫你去帮忙呢！"

唐飞早就等不及了："马小跳，我们快去吧！"

马小跳和唐飞跑到街心花园，钻进人群里，杜真子果然在那里。她站在人群中央，向人群伸出两手："献点爱心吧!献点爱心吧!"

　　小女孩转着呼啦圈，屁股一扭一扭，眼睛盯着一个地方。在她脸上，没有悲伤，也没有快乐，只有坚定。这根本不像一张三岁小女孩的脸。

　　"救救小妹妹的妈妈吧!"杜真子一遍又一遍地大声吆喝，"献点爱心吧!献点爱心吧!"

　　好心的人们纷纷捐款，放在杜真子手上的钱越来越多，越来越多，她的双手都拿不住了。

　　"杜真子，我来了!"

　　"杜真子，我来了!"

　　马小跳把小塑料盆儿交给杜真子，也学着杜真子的样子，一遍又一遍地大声吆喝起来："救救小女孩的妈妈，献点爱心吧!献点爱心吧!"

瞧，这群俏丫头

满满一盆子爱心钱

三岁的小女孩屁股一扭一扭地转着呼啦圈，好像不知道累。

杜真子开始使唤马小跳和唐飞。

"唐飞，你去给小妹妹买盒酸奶！"

唐飞领命而去，跑得乐颠颠的。

马小跳心里挺纳闷：唐飞是个小懒鬼，别人很难叫得动他，可杜真子怎么能这么轻易地叫得动他呢？

"马小跳，你把地上的钱都捡到盆子里去。"

马小跳说："你少使唤我，我又不是唐飞。"

杜真子的猫眼一瞪："难道你不想救小妹妹的妈妈？"

马小跳当然想救小妹妹的妈妈。他弯腰把地上的钱都捡到了盆子里。

唐飞买回两盒酸奶，递一盒给杜真子："我还给你买了一盒。"

"我不喝。"杜真子从唐飞手中把两盒酸奶都接了过来，"都给小妹妹喝。"

马小跳太了解唐飞了，他平时一直是个十分吝啬的人。现在，他居然会主动给杜真子买酸奶，他什么意思啊？

三岁的小女孩屁股一扭一扭，还在转呼啦圈。

"小妹妹，过来喝酸奶！"

小妹妹在喝酸奶的时候，围观的人群开始散去。

"别走！别走！"

马小跳把呼啦圈套在身上转起来。可他才转了几下，呼啦圈就掉了下来，人们都哄笑起来。

"别笑！别笑！我给大家唱首歌吧！"

马小跳扯起嗓子，唱起电视里最爱放的《同一首歌》。他一唱就走调，脸红脖子粗地唱了半天，所有的人都没有听出他唱的是什么歌，都说他像和尚念经。

马小跳自己不知道他唱的歌有多难听，他唱得声情并茂，唱得十分投入，记不住词的地方太多，他就用"啦啦啦"代替。

马小跳十分执著地唱完《同一首歌》，一本正经地给大家鞠躬，然后一本正经地端起盆子，走向人群："爷爷奶奶叔叔阿姨们，这个小妹妹的妈妈脑袋里长了瘤子，没有钱做手术，献点爱心吧！献点爱心

吧！"

人们纷纷从衣兜里、裤袋里掏出钱来，放进马小跳手中的盆子里。只一会儿工夫，就有半盆子钱了。

"唐飞，该你了！"

杜真子命令唐飞。

唐飞说："我不会唱歌。"

"那你会什么？"

"我会学动物叫。"

"这就好！"杜真子拉着唐飞站到人群中央，"爷爷奶奶叔叔阿姨们，他叫唐飞，现在他为大家模仿动物叫。大家欢迎。"

杜真子带头鼓掌。

马小跳心里又不平衡了。刚才，他唱歌的时候，杜真子可没有这么使劲地鼓掌。

唐飞家里养着一只狗和一只猫，所以他能把它们的叫声模仿得惟妙惟肖。

"如果猫的肚子饿了，它是这样叫的：喵呜——"

唐飞捏起鼻子，有气无力地学了一声猫叫。

"如果狗见了它不喜欢的人，它是这样叫的：汪！汪！汪汪！"

唐飞做出很凶的样子。

有人问道："猫见了老鼠，是怎么叫的？"

唐飞弓起背，从喉咙里发出喷痰的声音。

"好！好！"

"学得太像了！"

人们高声叫好！

唐飞趁机端起盆子，走近人群："请大家慷慨解囊吧！"

只一会儿工夫，盆子里的钱又增加了许多。

有一个男人举着一张五元的钞票，看着唐飞，眼睛都直了："你，你不是董事长的儿子吗？"

"是又怎么样？不是又怎么样？"唐飞拿出董事长儿子的派头，"五元太少了，至少十元，最好二十元。"

那个男人是唐飞爸爸公司里的员工，他果然拿出二十元钱，放进唐飞端着的盆子里。

"杜真子，该你啦！"

马小跳和唐飞都以为杜真子会唱歌或跳舞,没想到杜真子却说她要给大家表演"成语接龙"。

"谁来先说一个成语?"

一个阿姨说:"助人为乐——"

杜真子接龙:"乐极生悲。"

人们齐说:"悲——"

杜真子接龙:"悲天悯人。"

人们齐说:"人——"

杜真子接龙:"人山人海。"

众人齐说:"海——"

杜真子接龙:"海底捞月。"

众人齐说:"月——"

杜真子接龙:"月白风清。"

众人齐说:"清——"

杜真子接龙:"清规戒律。"

众人齐说:"律——"

杜真子接不上来了。但就这样，已经让唐飞崇拜得五体投地。他拼命地鼓掌，围观的人们也跟着他拼命地鼓掌。

唐飞端着盆子，走近人群："请慷慨解囊，献点爱心吧！"

人们再一次慷慨解囊，把钱放进盆子里。

已经放了满满一盆子钱。

"唐飞！"

唐飞一看，是他爸爸来了，肯定是那个员工打电话向他爸爸告的密。

唐飞装作不认识他爸爸的样子："先生，请你慷慨解囊，献点爱心吧！"

唐飞的爸爸摸出一张一百元的大钞，放进盆子里。

"哇！" 人群中一片惊叹声。可唐飞眼睛都不眨一下："不够！"

唐飞的爸爸又放了两张一百元的大钞在盆子里。

"还不够！"

唐飞的爸爸从皮夹里抽出一沓百元大钞，问唐飞："这够不够？"

唐飞面无表情："差不多。"

杜真子在一旁看得莫明其妙。

"那是他爸爸。" 马小跳悄悄告诉杜真子，"是个大富翁。"

走近故事背后的杨红樱

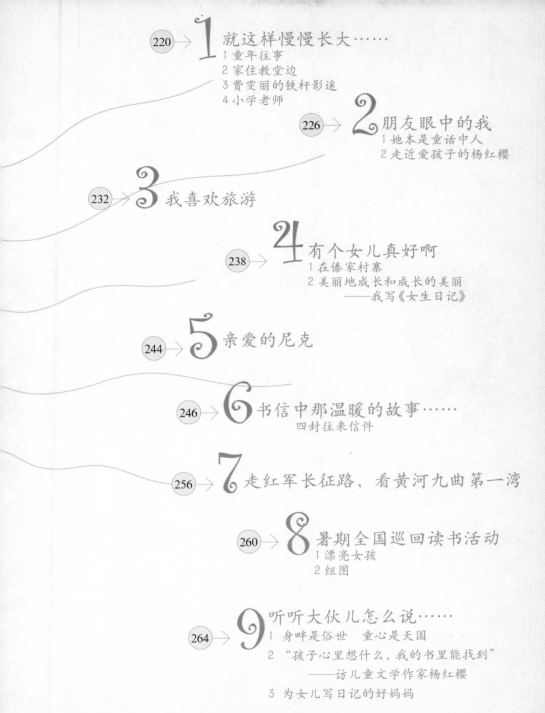

1 就这样慢慢长大……

1 童年往事

　　在童年，我最迷恋的地方不是公园，也不是游乐场，而是一家中药铺。

　　我上学、放学都要经过这家中药铺。它的店堂里永远燃着一只蜂窝煤炉，炉子上永远坐着一口砂锅，里面咕嘟咕嘟地熬着汤药，带着苦味的药香便从店堂里飘到街上来。往店里一瞧，玻璃柜台后面的一面墙上，镶着密密麻麻、钉着铜扣、像一张卡片大小的小抽屉，多得数都数不清。就是这些数不清的小抽屉吸引着我。每天下午放学后，我都会来到这家中药铺里，坐在那只白底蓝花的圆瓷凳上，逗留很久很久。

　　药铺里常常就两个人：一个很老很老的老中医，鼻尖上架着一副老花眼镜，坐在一把古老的太师椅上，闭着眼睛在给人把脉；一个是配药的年轻女人，据说，她以前是唱戏的，看着她拉开一个一个小抽屉，翘着兰花指称药的姿势，就像在舞台上表演一样。当时，她无疑是我心目中最最漂亮的女人。

　　那些小抽屉，我总也看不够。我相信，每一个小抽屉里，都藏着一个秘密。看着漂亮的女人从一个小抽屉里抓出一些像树皮一样的药材来，我便相信

那抽屉里面一定关着一座山林；如果她从小抽屉里抓出一些草根来，我便相信那里面关着一片草地；如果从小抽屉里抓出一匹海马来，我相信那里面关着一片海洋。我最感兴趣的是，有人形的人参和何首乌，我坚信他们是从小抽屉里悄悄溜出来的小人精……

　　这家小小的中药铺，便成了我童年记忆中的一个神秘世界。这里有动物，有植物，有小人……而那带着苦味的药香，便是暗暗流动在这个神秘世界里的空气。

② 家住教堂边

在很多年前，古代成都也有一座皇城。环绕皇城的是一条美丽的御河。到了上个世纪六十年代，御河变成了防空洞，防空洞上面，修了一幢一幢的红砖楼房，我的家就在这其中的一幢楼里，周围有成片的银杏树，银杏树结的果子叫"白果"，所以我住的这个地方叫"白果林"。

秋天的银杏树是最美的，树上的叶子全部变成了金黄色，一片一片，像一把把金色的小扇子，在秋风中哗啦啦地响。这时候，树上的白果也成熟了，啪啪地落在地上。每年，我都会去拾白果，晾干了炖鸡。我拾回来的白果，够一家人吃一年。直到现在，我最喜欢吃的一道菜，还是白果炖鸡。

在白果林里，还有一座上个世纪二十年代建造的天主教堂。每天傍晚，都能听见从里面传来的钟声，不很响亮，但是悠远绵长。我是听着教堂的钟声长大的。

我经常在晚钟响起的时候，走近教堂。教堂那两扇又厚又重的黑门紧紧地关闭着。只有几次，我悄悄地溜进去过，看见了钉在十字架上的耶稣，还有拉斐尔的巨幅油画《圣母玛丽亚》和长着翅膀的小天使。记忆中，我写得最好的一篇作文《上帝和你同在》，就是写这个教堂的。

费雯丽的铁杆影迷

《魂断蓝桥》是我少女时代最爱看的一部电影。我身上的这件连衣裙就是仿照女主角费雯丽的裙子式样，自己设计的。

读高中那会儿，我狂热地爱上了电影。在我们家附近，有一家小电影院，以前是个戏园。我在这里看过上百部的世界经典影片，像《王子复仇记》、《仲夏夜之梦》、《安娜·卡列尼娜》、《简·爱》、《音乐之声》。奥斯卡历届获奖影片，我都是在这里看的。我喜欢英格丽·褒曼主演的《爱德华大夫》、《卡萨布兰卡》，但我最痴迷的女演员却是费雯丽。她主演的《乱世佳人》，我看了好几遍；《魂断蓝桥》，我看了十二遍。每一次都是眼睛哭肿了出来，每一次都发誓不再看这部让人心碎的片子。但过不了几天，又去了。那时候，我穿的每一条裙子，都是我自己仿照着费雯丽在《魂断蓝桥》里穿的裙子设计的，可惜当时买不到她戴的那种帽子，我就戴了一顶白色的遮阳帽来替代。

小学老师。1981年。

十八岁那年，我当了小学老师。我教一个班的语文，还当班主任。我把学生从一年级教到六年级，然后去一家出版社做了一名童书编辑。

本来，我是喜欢当老师的，我的理想就是当老师，但是在十九岁那年，我发表了第一篇作品。这纯粹是为我班上的孩子写的一篇故事，而孩子们说写得跟书上的作品一样好，我就拿出去发表了。应该说，我是在我的学生的鼓励下，才走上写作之路的。后来，越写越多，到了二十四岁那年，我出版了第一本书《快乐天地》。

出书了，我教的学生也小学毕业了。这时，我面临着一个选择：是继续留在学校里做老师，还是去出版社做童书编辑？我想，优秀的老师很多，但专门为孩子们编书的人毕竟还少，所以我选择了去出版社。

我当年教的学生，如今已有二十七八岁了，他们大多大学毕业或研究生毕业，参加了工作，有的还在国外读博士。有时，他们会来看望我。大家在一起，难免会说到过去的往事。他们关于我的回忆，

小学老师

那时，已开始为孩子写故事。1982年。

都是我记不起来的一些事情，但对他们来说，却终生难忘，一直影响着他们，温暖着他们。作为学生，他们想在老师那里得到的，不仅仅是知识，更想得到的是平等、尊重、关怀，还有温暖。这些，他们从我身上都得到了。

在当老师的时候，我从来不曾细想过，自己是个什么样的老师。这么多年过后，我才觉得自己是个好老师，因为我的

教育应该把人性关怀放在首位。

学生喜欢我，这是作为一个好老师的最起码的标准。

《漂亮老师和坏小子》这本书，就是在我有了这些感悟之后写出来的。书里所有的故事，都是围绕着"教育应该把人性关怀放在首位"这样的理念展开的。

出版了第一本童话书《快乐天地》，离开学校，做了童书编辑。1989年。

2 朋友眼中的我

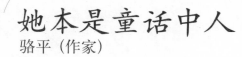

她本是童话中人

骆平（作家）

初见杨红樱，颇为惊艳。惊，却不是寻常的惊；艳，亦非世俗之艳。因她有一种古典婉约的气质，是纯粹女性化的美丽，精致润泽。那样的相貌，让人想起淡淡菊花香的庭院，闲读诗书的优雅女子。那是一九九八年的夏天，她尚在为一本小学生杂志撰稿，我受嘱为她送去当月新出刊物。约在一所小学附近见面，我去得早了一点，她依时而来，骑自行车。记忆深刻的却是她骑车的姿势，在夏日茫茫生烟的马路上，罕有的从容，令我浮躁焦急的心，立即静了。

再次见她，是同年的秋天。她引荐一位年轻女孩到编辑部做美编，当日她披一条手绣带流苏的大披巾，不知谁讲了句笑话，她不禁笑了，整间屋子都是她清脆玲珑的笑声，非常孩子气。我远远瞧着她，只笼统觉得她穿得很好，不是中规中矩、讲究章法的那种好，而是适意淡定、衣鬓沾香的好，譬如"花来衫里，影落池中"，自然天成，绝无矫饰。

接着就有机会去采访她，是两年过后了。蜜儿是早已有了，冉冬阳也正风行于世。她在门外等候着，一路领我上楼。进得门来，一阵隐约的香扑面而来，却又不是麝香檀香藏香，而是她养着的植物，长得葱葱郁郁，是生命生长的芬芳。她的客厅很大，充满林木幽凉的阴影，在厅堂认认真真种花草的，我竟不

段写了她聊得津津有味的茶艺，另一大段则写了她在旅途中的种种感悟。诚惶诚恐地发表了，没想到却大受欢迎。

渐渐就与杨红樱熟了，偶尔见面，不时通电话。三年前我开始写小说，诸多惶惑，时常骚扰她，不断追问技巧玄机，她总能一一点破，温和而又尖锐。很奇异，与她娱玩，她如顽皮的大孩子；跟她闲聊，她是性情中人；向她求教，她又摇身一变，成为睿智的长者。如是三番，终于明白，这便是可遇不可求的大德大善大智慧。

有时劝说她写成年人的故事，龌龊凡俗的成人世界似乎更加需要精神导师。她笑而不答。潜意识地，便羡慕起那些有幸做了她的读者的小朋友。成长和神秘的力量是杨红樱永恒的主题，那个长发飘飘、魔力无穷的蜜儿，在我看来，简直就是杨红樱的化身，是由慈爱的老师、温情的母亲、善良的朋友集合为一身的完美女性形象。杨红樱把对于教育的思考和忧虑，统统放在了浓郁的文字中，她用故事反思教育，用故事温暖和安慰孩子的心灵，也用故事警示冷漠的成年人。

杨红樱写小说，也写童话。她本人就是童话中人，活在童话里，用一根闪闪发亮的手杖引领着无数的孩童。她就是蜜儿。她就是长大后的冉冬阳。

常见，可见她是真心喜爱。访谈在书房进行，书房里有钢琴，有浴在阳光里的明亮的榻榻米。但又不是通常的采访了，在杨红樱那里，似乎没有太多成人的规矩，什么客套、什么敷衍、什么周旋，一律免除。她泡了朋友送的茶让我品尝，一派天真地先说茶，她懂得的茶道着实叫我吃一惊，继而聊到她的女儿，告诉我许多母女间的趣事。

我原本是不善言笑之人，两个钟头下来，竟与她混得烂熟，忍不住也摘了戴得累极的面具，与她畅诉心事。末了担忧无法交差，迫着问她有关《女生日记》的事情，她只说，期望小女孩子们都能如冉冬阳一般善解人意，期望小男生学会欣赏小女生真正的美。就是这样。后来文章写成，摈弃了传统的格式套路，一大早就读过杨红樱老师写的《女生日记》、《男生日记》等作品。我被小说里的人物深深吸引，被小说里的情节所打动。杨老师在小说里所描写的校园生活仿佛就发生在我的身边，她笔下的人物好像就是我的老师、同学。她怎么那么了解我们的内心世界呢？难道她也当过老师吗？看了扉页上的照片后，我想她应该是一位特别年轻、特别漂亮的女教师。

当得知可以在 CCTV 的《读书》栏目的拍摄现场采访到杨红樱老师时，我不禁既高兴又兴奋。终于有机会可以见到我喜欢的作家了。

四月七日放学后，我和学校的四十多名同学来到《读书》的拍摄大厅，这档节目是由"金话筒"奖的获得者、端庄大方的周小丽阿姨主持的。

周阿姨给我们讲了杨红樱老师写的"淘气包马小跳系列"丛书里的一个故事之后，杨红樱老师终于款款地出场了。啊！杨老师长得的确很漂亮，但已不算年轻。大约四十多岁的样子，听说她的女儿都已经上高中了。她穿了一件深紫色的紧身毛衣，

走近爱孩子的杨红樱

任艺（小记者）

在中央电视台《读书》栏目的拍摄现场。

牛仔裤，显得既时尚又温柔。说一口略带成都味儿的普通话。

一开始，主持人就说出一大串杨红樱老师作品中人物的名字，让我们猜。没想到台下的同学纷纷举起手来，原来热爱杨老师作品的 fans 还真不少呢。和蔼可亲的杨老师赠给每一位答对的同学一套她亲笔签名的系列丛书。

重新落座后，主持人说："您在书中强调，一个孩子成长的过程就是不断犯错而后又不断改正错误的过程。而且您书中的主人公都是学习既不是特好，长得也是歪瓜裂枣（您书中的原话）似的人物。您是怎么理解好孩子的呢？"

杨老师略微思索了一下，说："我所写的是主流人群，代表了大多数学生的形象，好比马小跳就综合了许多孩子身上的特点，这个形象才鲜活、丰满。另外，我觉得作为一个男孩子，他可以不漂亮，但应该富有爱心；他可以学习不好，但一定要勇敢。这样他长大了才会成为一个优秀的男子汉！"

为了能和我们互动交流，主持人并没有问太多的问题，而是将话筒交给了我们。我第一个高高地举起手，问："杨老师，您怎么知道我们心里的想法呀？"杨老师笑了一下，说："首先我当了七年的小学老师，把一个班由一年级带到六年级毕业；然后是当了童书编辑。可以说，在我工作的二十多年里，我的身边从来没有离开过孩子。另外，我自己也有女儿，所以孩子是我生命的一部分。要说我写得像你们的生活，那就是一句话：'我爱你们！'"同学们都热烈地鼓起掌来。

　　这时，一位大姐姐站起来问："在您的教学生涯中，哪位同学给您留下了最深刻的印象？"

　　杨老师回忆了一会儿，说："有一次手工老师布置做一个灯笼，一位小女生拿着做好的灯笼刚到教室门口，就被一个男生一脚给踢破了，因为这件事学校要给这名男生处分。当时我就想应该问问这位男生到底为什么要这样做？结

我教的那个班的学生小学毕业了！坐在我腿上的是我女儿，那时她刚一岁。1987年。

果男生不仅向小女生承认了错误，还赔给她一个新灯笼。现在这个男生在美国读博士。前几个月我在成都搞签名售书活动，他还委托他的妈妈给我送来一束鲜花。这个孩子给我的印象最深。"

一位家长接过话筒，迫不及待地问："怎么才能和孩子成为知心朋友呢？"

杨老师认真地说："首先你要把他当成自己的朋友。你们是处在一个平等的位置上，遇到问题要换位思考，想想你小时候，遇到困难会多无助，犯了错误会多害怕，你就能够体会现在的孩子其实生活得并不轻松。"那位家长认真地点了点头。

最后，杨老师还告诉我们一个好消息：她最新出版的"淘气包马小跳系列"丛书将作为六一儿童节的礼物，送给全国的小学生。我们就拭目以待吧！

不知不觉中，两个多小时的录制结束了，同学们纷纷跑上台去，让杨红樱老师签名，我好像还有好多问题没有问，只好到她的书里去寻找答案了。

3 我喜欢旅游

在西藏。1993年。

喜欢荒凉的感觉。1999年。
在西藏遇见一位西班牙女郎，有一见
如故的感觉。1993年。

西藏喇嘛不喜欢跟人合影，这张照片是偷偷拍的。1961年。

在神秘的泸沽湖边。1998年。
在西藏的碉楼前。1993年。

在这次沙漠之行后，写下了《男孩米奇的沙漠奇遇》。1998年。

在虎跳峡。1998 年。

夕阳下的沙漠和它怀抱中的月牙泉。1998年。

在沙漠里。我身后的羊是真的哦！瞧我身边的男孩儿，好玩儿吧！

摩梭人开的小商店。1998年。

在丽江，和纳西族的老太太聊天，但她说的话我一句也听不懂。

摩梭小伙都非常帅，常常在泸沽湖上
划着猪槽船。1998年。

在四川，油菜花开了，春天也就到了。
2000年。

我的头发随草原上的风飞舞。2003年。

在丽江的玉龙雪山上度寒假。2001年。

我喜欢骑马。1999年。

在蒙古包里品尝现做的奶制品。2004年。

和蒙古族小女孩在蒙古包前

24 有个女儿真好啊

①

②

③

④

⑤

1、生下女儿的第一天。1986年。

2、女儿在玩我小时候玩过的风车。1989年。

3、这熊猫是真的，还是假的？（1988年，女儿一岁半。）

4、做妈妈是让我感到最幸福的事情。

5、冬天，带女儿去冰天雪地。（1990年，女儿四岁。）

6、女儿常常跑进我的童话里来。

7、女儿是我最亲爱的宝贝。

8、总有说不完的悄悄话。1991年。

9、夏天，带着女儿在乡间寻找野趣。1995年。

10、女儿是上帝赐给我的美丽的天使。

1 在傣家村寨

在西双版纳，身穿美丽的傣家服装，和女儿一起学跳傣族舞。1996 年。

从我女儿会走路时起，我就开始带着她到处去旅游。

在她十岁那一年，我们去了西双版纳，在边境上的一个傣家村寨里住了下来。这个村子风情万种，一幢一幢的吊脚楼散落在凤尾竹间，一条美丽的小河从村子边静静流过。奇怪的是，村子里到处都是悠闲散步的猪，把女儿高兴得和它们玩了一个下午。

房东家有一位热情的大嫂，她把她最漂亮的一套傣族服装找出来让我换上，又把她女儿的衣服拿给我女儿换上，然后担上两只水桶，把我们带到村子边的那条小河旁。

傍晚时分，满天的彩霞倒映在河面上。劳作了一天的傣家姑娘把疲劳的身子浸在河水里，水面上荡漾着她们长长的黑发。

从河那边传来傣家小伙的歌声。姑娘们把长发斜斜地绾在头顶上，从水里走出来，在河边跳起了孔雀舞。

女儿在幼儿园里跳过孔雀舞，她拉着我跟她们一起跳起来。

夕阳西下，唱歌的小伙们和跳舞的姑娘们三三两两地往村子里走去，家家户户的吊脚楼上空都升起了袅袅的炊烟。

房东家早已烤好了鸡，烤好了鱼，摆好了圆圆的饭团，这就是最丰盛的傣家饭了。记忆最深刻的是吃那饭团，用手捏一小块，蘸上一种调料吃。这种调料鲜美无比，在嘴里的回味微微有点酸。吃完之后，主人才告诉我们，这种调料是用才宰杀的牛的血和肉，再加上一种野菜配制成的，几个同去的女伴吓得连说，早知道就不吃了。

晚上，我们十几个人睡在吊脚楼的地板上。只听耳边传来一阵接一阵此起彼伏、如雷鸣一般的呼噜声。是谁打的呼噜这么响？原来是吊脚楼下睡的那些猪和牛。

被牛和猪闹得睡不着觉，又因为要赶路，所以天还没亮，我们便离开了村子。坐上车，才发现旅行包怎么这么鼓？原来是房东大嫂塞了一大包酸枣在里面。

1999年在女儿小学毕业考试前的寒假，我没有让她上补习班，而是带她去丽江的玉龙雪山。

②

美丽地成长和成长的美丽
——我写《女生日记》

那个暑假，女儿考取了钢琴业余十级证书后，去了老家山东烟台，那里有她热爱的大海。而我的一本童话书《那个骑轮箱来的蜜儿》出版了，这是献给我的女儿以及所有小学生的书。书中那个给孩子们带来无限欢乐的幻想人物蜜儿，深受孩子们的喜爱。我打算把"蜜儿的故事"再续写下去。刚开了个头，女儿就从山东老家回来了。不过才离开我一个月，在我心目中一直是小女孩的女儿，怎么一下子长得和我一般高了？

我惊喜地意识到，再过几天一开学，女儿就是小学六年级女生了，她即将告别童年，即将从一个小女孩成长为少女。作为女性，这是生命中多么重要、多么美丽的阶段啊！立即停下童话创作，我要用全部身心来关注女儿的成长，用我的笔真实地记录下她一生中这个美丽的过程，记录下她长大的每一天。

六年级的学生面临着小学毕业，面临着异常残酷的考试竞争。全校两百多名毕业生，只有七个保送重点中学的名额。我没有寄希望于女儿能成为这七名保送生之一，我只希望女儿在小学最后的时光里，不要失去属于她的天真和快乐。失去的童年不会再来。

六年级寒假，当别的家长都忙着替自己的孩子找补习班的时候，我带着女儿去了荒无人烟的雪山草原做长途旅行。一路上，我们所遭遇的艰辛是难以想象的。女儿说，这次旅行给她最深的感受，是"风雪交加"中的"饥寒交迫"。在途中，我们看到大片大片被烧毁的山林，这触目惊心的情景激发了女儿的灵感，当晚便写下一篇记叙文《哭泣的荒山》，后来发表在报纸上。我相信，寒假里的苦难经历，将成为女儿终生的财富。

小学阶段的学习终于结束了。女儿在没有任何压力的自然状态下，参加了小学毕业考试。结果，她成为进重点中学的保送生。但她放弃了这个机会，去了一所寄宿制的外语学校。我的《女生日记》也在这时完稿了。

书写完了，女儿仍在美丽地成长。在学校，她喜欢自编自演英语小品；回到家里，她喜欢弹奏巴赫的钢琴曲。九月的教师节，她画了两幅画，用画框装起来，一幅送给她小学的语文老师，一幅送给她小学的数学教师。上个周末，她上街买了许多丝带，各种颜色的，说要给我编一只手镯。

最近，女儿又非常投入地在养花。她养了一盆风信子。刮风的时候，她会从很远的地方赶回来，把风信子搬回屋里。心中有了牵挂，便有了爱心和责任，眼睛里就会荡漾出温柔的波光。这样的女孩，是可爱又迷人的。

我的女儿在一天天长大，我分享着她成长的美丽。

超级链接
关于《女生日记》

画外音： 这是一部六一期间在全国公映的儿童影片，这是一部讲述青春期女孩烦恼与欢乐的电影。它改编自同名畅销小说。从小说到电影，《女生日记》在很多人看来，就是一部女生版的成长的烦恼，它的作者就是杨红樱。

杨红樱： 这是一部跟踪写作的日记体小说。一九九八年我女儿读六年级的时候开始写，一直写到她小学毕业。我为什么要挑这个年龄段来写？因为这是一个小女孩成长为少女的关键时候，我觉得这是特别值得关注的。因为这段时间的女孩心理非常脆弱，很敏感，而且有一些自卑，我就是要呼唤所有的成人、所有的妈妈、所有的家长、所有的老师，对这个年龄段的女孩，对这个特殊成长阶段的女孩，给予一种特别的关怀。

画外音：《女生日记》是杨红樱校园系列小说之一，她的作品大多是为中小学生而创作的。她的书为孩子、也为他们的家长构建了一个一个健全的人格世界和情感世界。（摘录自中央电视台2004年6月1日《东方之子》。）

1、手捧《女生日记》的人，一位是著名导演石建都，另一位是著名主持人何炅，他扮演女生们心中的偶像——舒老师。
2、他们是电影《女生日记》中的小演员们。能猜出谁是冉冬阳，谁是小魔女，谁是梅小雅吗？
3、《女生日记》一出版，便在全国引起轰动，中央电视台的记者专程来成都采访。

5 亲爱的尼克

尼克是我弟弟养的一条纯种德国牧羊犬。

尼克长得很漂亮，我喜欢看它从远处向我跑来的样子。风把它身上的长毛吹得高高地飞扬起来，在我的眼里幻化成一匹奔驰的骏马。

几乎所有见过尼克的人，都喜欢尼克。这不仅仅是因为它漂亮，还因为它忠厚、老实，有时甚至有些笨，有些呆。

尼克有条保姆狗，就是从小把它带大的狗，叫呜呜。这是一条腊肠犬，身子很长，四条腿很短。矮小的呜呜和高大的尼克站在一起，简直就是一个小不点儿。但尼克绝对服从呜呜，呜呜叫它干啥，它就干啥。

呜呜长得像个老谋深算、诡计多端的老头儿。本来，它是喜欢尼克的，可看到人人都喜欢尼克，便嫉妒得一心要除掉尼克。

每天傍晚，呜呜都要带着尼克出去散步。这一天，呜呜把尼克带到一个离家很远、人又很多的地方，它把尼克丢在人群里，然后自己跑回家去。我弟弟不见了尼克，马上派出几十人分头去找，尼克终于被找回来了，失而复得，人们对尼克更是宠爱有加。

　　呜呜妒火中烧，它再一次把尼克带出去。这一次，不知它把尼克带到了什么地方，它没能活着回来，它的尸体是被尼克驮回来的。后来，人们才打听到，呜呜是在丢掉尼克后，在横穿马路时，被一辆疾驰的货车压死的。

　　尼克把呜呜驮回来后，就一直守在它身边，一连几天几夜，不吃不喝。

　　呜呜死去有半年了。有一次，我故意问尼克："呜呜在哪儿？"尼克立即呜咽起来，看得出来，它是真的伤心，因为它的眼里噙着泪。

　　这厚道的狗啊，善良的狗！它会不会知道，呜呜是因为嫉妒它才惨遭横祸的？但愿它永远不要知道。

6 书信中那温暖的故事……

来信 1

杨阿姨：

　　Hello!

　　好久没跟您联系了，没忘了我吧？我是"戴安"的翻版。Don't forget me!唉，我升入六年级了，作业多得可以压死人，所以没来得及给您写信，没来得及打电话，总而言之，言而总之，很多事都来不及干。

　　现在，我们的老师出差去了，作业一减再减，空出了许多时间来玩！我一有空就想到了写信！信纸用完了，只有去买了。写给谁呢？对，写给杨阿姨！我知道您喜欢狗狗，所以一进店就看中了这一沓有小狗的信纸，是不是很可爱？

　　"戴安计划"实施得如何？顺利吗？快快动笔吧，我实在是等不及了！对了，书名想好了吗？如果准备完毕，就请动笔，我的money已准备好了，就等新书上市呢！

　　我们学校里有个很大很大的图书馆。有一天，我被叫去整理书，书特别多，一排一排地全是书。忽然，我发现了好多让人特别兴奋的书。猜猜是什么书？我可不想卖关子，实话实说，我看见了整整一大排您写的书。有"淘气包马小跳系列"，还有《男生日记》、《女生日记》、《五·三班的坏小子》、《漂亮老师和坏小子》，当然还有《那个骑轮箱来的蜜儿》。新出版的"小布老虎丛书"中的《笨笨猪》也来凑热闹。

第二天，图书馆开始借书了。我下午跑去一看，差点昏倒：满满一排的好书，竟一本也没有了。我问老师："杨红樱写的书还有吗？"老师也有些遗憾地说："没了，借光了！"我一下子怔住了，满满一排，竟全借光了，一本也不剩……

看见了吗，您的书太受欢迎了！一定要多写点儿啊，不然，图书馆的书架上又要空空如也了！

还有，这几天，我看见《哈利·波特与凤凰社》上市了，内容很不错，扣人心弦，如果您买了，也一定会爱不释手的。

对了，嘉兴要举办金鸡奖和百花奖的颁奖晚会了，许多明星都要来呢！您会来吗？

好了，今天就写到这儿！再见！

别忘了我的地址：

邮编：314001

学校：浙江嘉兴市实验小学六年级

住址：浙江嘉兴市吉水路吉水花园4-403

最后提醒一声：邮票已提供，送信纸一张，请速回信哦！

赵潇璇子

2003 年 10 月 26 日 18 点 27 分 9 秒

回信一：

小璇子：

你好！

收到你的来信，高兴了半天。因为我们已经是老朋友了，读你的信总感到特别亲切。你每次的来信，都会给我带来一个惊喜。比如这次，你说你们学校的图书馆，收藏了我的许多作品，而且被同学们一借而光，对一个为孩子们写书的人而言，还有什么能比这样消息更值得欣慰的呢？

关于那个"戴安计划"，实话告诉你吧，进行得不是太顺利。我已经开了一个头，写了大约有两万字，但自己觉得不如《漂亮老师和坏小子》精彩，我准备放弃，但这不是说我准备放弃这个写作计划。这本书我一定要写的，而且一定要超过《漂亮老师和坏小子》，这样才不辜负像你这样的"杨红樱铁杆小书迷"的期望。

请你耐心地等等吧！

祝

好！

杨红樱阿姨

2003年11月12日

回信二：

璇子：

你好！

终于在嘉兴见到你了。因为你寄给我的照片都是一副调皮相，你在介绍自己时，又总是说自己是一个"与戴安相似的假小子"，所以在嘉兴，我眼中的你与以前想象中的你很不一样。我看到的是一个容貌清秀，气质娴雅的漂亮女孩。这是不是因为你长大了？

让我觉得不安的是，我们是在那种尴尬的情况下见面的。我这次的日程安排得很紧张，要走二十一个城市，基本上是上午走一个城市，下午就得赶到另一个城市。嘉兴的前一站是萧山，从萧山到嘉兴走高速公路只需一个多小时，可车却在高速路上堵了两个小时。我迟到了一个小时，让那么多读者等我，心中真的很愧疚……而你十二点半就去等我了，等了四个小时，还排了那么长时间的队，见到你时，我已不知说什么好了。我想，我在你的心目中也一落千丈了吧？不管迟到的客观原因是什么，我觉得我都应该向嘉兴的小书迷们道歉。我托书店的工作人员把我的歉意转告嘉兴的媒体，不知有没有登出来？

　　我是回到家才打开你送我的礼物的。当我女儿看见这一套可爱的咖啡具时，她问我："璇子是不是知道你最喜欢喝咖啡？"

　　我真的非常喜欢你送我的这份礼物。我想回送你一些书，但看你那天提了一大袋的书让我签名，我想我的书，你应该差不多都有了吧？不管那么多了，我还是送你我最新出版的"杨红樱童话系列"中的三本吧：《亲爱的笨笨猪》、《流浪狗和流浪猫》、《没有尾巴的狼》。这些都是我早期的作品。不知你是不是知道，在写《女生日记》之前，我一直都是写童话的。读我的童话跟读我的小说，有没有不同的感觉？

　　再一次祝贺你荣升为中学生！

　　我爱你，璇子！

杨红樱阿姨

2004 年 8 月 5 日

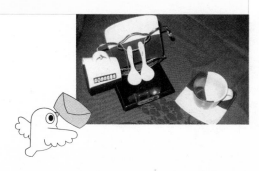

杨红樱阿姨：

　　您好！

　　我不知道这样称呼您对不对，因为您在我的心里其实就像一个年龄和我差不多大的少年。我看过您写的书，但由于家里经济条件有限，除了《女生日记》是买的外，其他的书都是向同学借的。但有的同学说我是穷光蛋，连书都买不起，只有最要好的朋友才肯借给我。不过她只有一本，我只好用一个中午的时间把这本《贪玩老爸》看完。回到班里还书时，还有一些男生讽刺说："穷光蛋，穷光蛋，连书都买不起。"我很伤心，不过他们说得也对。爸妈离婚了，我由妈妈抚养。妈妈没有工作，没有工资，在前年得了癌症。就在我过十岁生日那天，妈妈送给了我这本《女生日记》作为生日礼物，她害怕自己那天下午一进手术室，就再也出不来了。我伤心透了，心像被针扎似的疼。但我看了《女生日记》，认识了里面的莫欣儿、沙丽、马加，他们的父母也离异了，但他们却勇于面对现实，乐观地对待生活。我又振作起来了。现在，妈妈的身体渐渐康复了。我真的感谢您为我们写了这本书！

　　说了这么多，我还没有自我介绍。我是河南省焦作市焦东路小学的学生，我叫媛媛。我不知道应不应该写得这么详细，应不应该把这封信寄给您。因为我害怕您收不到这封信，就算收到了，也不知您会不会看；如果您看了，您会不会在百忙之中抽出一些时间，给我回一封信呢？这一切都是一个谜。但我还是希望您能够看到，能给我回信，哪怕只是简单的几句话。我把我的心里话都告诉您了，我从来没对任何别的朋友或同学说过。

　　我写的这封信被我的一位好朋友，也就是借给我书的那个同学发现了，她哭了，她说："如果我是杨红樱，我一定把这一套书全送给你。"我深受感动，说："没关系，等我长大后有钱了，我自己一定会买来看。"可等我长大后，我还会记住我说的这句话吗？不过请杨红樱阿姨不要误会，我不是向阿姨要书，我只是向您诉说我的心声。我人穷但志不短，您虽然是个

来信
2

作家，比我们有钱，但不可能随便就会送人书的。我还送您两张照片，一张是小时候的，一张是现在的。前一张是在家拍的，另一张是姐姐拍艺术照时，老板又送了一张，我沾了姐姐的光，也拍了一张。

祝杨红樱阿姨

越来越美丽，身体健康，天天开心，写出更好更多的文学作品。

您最忠实的读者 媛媛

2004 年 5 月 16 日

亲爱的媛媛小妹妹：

读了你的信，我非常非常感动。你是一个美丽坚强、善解人意的小姑娘，我好羡慕你的妈妈，因为她有你这么一个值得骄傲和自豪的女儿，我也为能认识你这么一个朋友而感到荣幸。

你不要怕别人说你穷。其实，你比好多人都富有，因为你有不同寻常的经历，这就是你的财富。好多成功的人，都是在逆境中成长起来的。我在遥远的地方，会天天祝福你的。

给你寄来两本书：《那个骑轮箱来的蜜儿》和《神秘的女老师》。愿我的蜜儿能给你带来一些温暖和安慰。

我爱你！

杨红樱阿姨

2004 年 6 月 23 日

亲爱的杨红樱阿姨：

好久没给您写信了！真的好久好久了！我已经考上一所跨区寄宿制的重点学校。所以不用太紧张，这次可以放下心来踏踏实实地写信了！

正如您刚才在电话中所说的那样：我长大了。确实，我长大了。我从小就爱阅读。开始，只是读一些故事、作文；到四年级时，我开始读世界名著：《简·爱》、《傲慢与偏见》、《唐·吉诃德》、《悲惨世界》、《海伦·凯勒传》、《安妮的日记》、《王子与贫儿》、《小公主》、《秘密花园》、《苦儿流浪记》、《爱的教育》……其实把这些书名列出来，就是想告诉您，我特别喜欢读它们。说实话，我不喜欢读中国文学名著，像《三国演义》这类的书。爸爸也不让我看《红楼梦》，连《简·爱》他也反对我看。所以，我只好向同学借《简·爱》，读过之后我才明白，爸爸有些小题大做了，并没有什么嘛！这些大概都是在我读四年级和五年级那会儿发生的。从五年级下学期开始，我迷上了您，迷上了您的每一本书。可现在，正如我刚才在电话中所说的那样，我忽然发现，现在读这些东西有些浅。这些东西太理想化。对，我想过，就是因为年龄不同了。虽然如此，但我仍然喜欢这些东西，也许还会接着买，可当初的那种劲可能没有那么浓了。

无论如何，我永远都会支持您。因为不管怎样，在我儿时，带给我快乐，打动我心的那个童书作家是杨红樱！我还会和从前一样继续崇拜您，继续读您的书，继续给您写信，继续是您的读者好朋友！

请一定一定早日回信，不然我会着急的！

北京市丰台区云岗一小六·二班 陆洋

2004年5月4日

陆洋：

　　你好！

　　首先，要祝贺你考上了一所好学校。你真的很棒！

　　我还要对你说声"对不起"。因为从今年四月起，从北到南，从西到东，我去了全国二十几个城市，参加了几十场读书活动。所以你给我寄了几封信，我都没能及时回。好在有一次我正巧在家，接到了你的一个电话，你问我，你前两年非常喜欢读我的书，为什么现在读起来感到别扭？我说，有这种感觉就对了，这证明你长大了。

　　阅读是一种心情需要，应该伴随人的一生，所以在人生的每一个阶段，会随着年龄、阅历、生活境况的不同，变换着自己的阅读趣味。一个人不可能一辈子只读一个作家的书，或一种类型的读物。前两年，你喜欢读我的书，也许就是《女生日记》、《男生日记》，还有童话《那个骑轮箱来的蜜儿》和《神秘的女老师》吧？可能就是这些书满足了你当时的心情需要，因为这些书都是关于成长的。

　　我看了你列的阅读书单，非常好，你会在这些书中得到滋养，成长得更快更好。

　　终于，可以轻轻松松地过一个暑假了。你会去旅游吗？这个暑假，我还会继续行走在全国各地。

　　祝

好！

杨红樱

2004 年 6 月 15 日

杨红樱阿姨：

　　您好！

　　我叫曹梦远，是个农村孩子。如今我已经小学毕业了，这个暑假一过，我就要上初中了。

　　我酷爱看书，只可惜在农村不容易买到好书。六月十七日，我代表学校去参加秦山镇第四次少代会，因此获得了纪念品——"淘气包马小跳系列"中的《天真妈妈》。我只读了两个故事，就被马小跳、宝贝儿妈妈、马天笑先生、安琪儿、唐飞、张达等人物深深地吸引住了，尤其是马小跳，他有趣，好玩，总会有一些出人意料的想法，比如"十二层的三明治"、"银色的高跟鞋"等，都洋溢着浓郁的儿童气息。还有马小跳的宣言——"理直气壮地做孩子"，也说出了我们的心声。杨阿姨，您写得多好啊！

　　今天，妈妈带我去武原镇上玩。路过书店，我们进去看看，我一眼就看到了您写的《女生日记》、《男生日记》、《五·三班的坏小子》、《漂亮老师和坏小子》，还有"淘气包马小跳系列"中的其他几种。我拿起一本，翻了几页，就爱不释手，好想把它们买下来。妈妈似乎看穿了我的心事，问我："是不是想买这本书？"尽管我好想好想买下这几本书，但是……"不，我……我不想买。妈妈，我们走吧！"我笑着对妈妈说。

　　我家的经济状况原本不错，妈妈是个个体经营户，爸爸是公务员，几年下来，也积攒了不少钱。前不久，我报考了武原镇上的博才实验学校，有幸被录取了。爸妈放心不下我，于是在"宜家花城"买了套房子，还要负担两万多的学费，如果加上杂费，那负

担更重。家里的经济情况困难多了，每月都要还贷款，哪里还有钱买这买那呢？我想，不能读到优秀的作品，那就与优秀的作者交流吧。也许呀，效果更佳！

杨阿姨，我有一个问题：您的灵感源于何处？马小跳、冉冬阳、吴缅……还有那么多有趣的故事，您是怎么想出来的？我读过后，总感觉这些故事，都是您自己经历过的。好神哦！

希望您能给我回信。我的地址：浙江海盐县秦山镇官堂供销大厦东1号。邮编：314318。

祝您

能为我们写出更多的优秀作品！

您的忠实读者：曹梦远

2004年6月29日

曹梦远：

你好吗？

看了你的来信，我非常感动。你是个懂事的孩子，虽然你是那么想买我的书，但一想到自己家里的经济条件，还是忍痛割爱。小小年纪，竟能处处替大人着想，竟有这么强的自律能力，真的很了不起！能做你的朋友，是我的荣幸。

作文贵在写出真情实感，而且一定要有想象力。

祝

快乐每一天！

杨红樱

2004年8月14日

在黄河九曲第一湾，黄河源头的水多清啊！2004 年。

走红军长征路，
看黄河九曲第一湾

在红军长征经过的若尔盖大草原，跟藏族同胞在一起。2004 年。

给松潘县三巴乡希望小学送去杨红樱的系列作品，和藏族校长（左）、老师（右）合影留念。

在给红原希望小学的捐赠仪式上。2004 年。

在草原上遇见骑马的牧童。

在草原上遇见骑马的牧童，送给他们糖果和文具，他们会用汉语说"谢谢"。2004 年。

在红军的石像前。2004 年。

① 漂亮女孩

在郑州的一次跟小读者的见面会上，场面很热烈，小读者、老师和家长都发了言。可我发现有一个小姑娘，始终没有说一句话，她十分安静地坐在那里，一直看着我。她有一双迄今为止，我见过的最美丽的眼睛。

见面会结束后，她径直朝我走来，拉着我的手，还是不说一句话。她身边跟着一个照顾她的姐姐。这个姐姐告诉我，这个小姑娘是个聋哑孩子，她是我的小书迷，她最大的愿望就是想见见我。

小姑娘的嘴巴不会说话，但她的眼睛会说话。小姑娘比划的手语我不懂，但只要一看她的眼睛，我就感到自己真的很懂她。她在告诉我，她读过我所有的书，我的书给她带来了快乐，我的书让她不寂寞。

这个小姑娘真是漂亮，漂亮得无可挑剔。我在写《漂亮女孩夏林果》时，脑子里常常浮现的就是她的形象。

② **暑期全国巡回读书活动**

《淘气包马小跳系列》作者杨红樱记者见面会

1. 在河南郑州《大河报》。
2. 在青岛，回答小记者们的各种问题。
3. 深圳南山书城门前的大幅广告。
4. 平顶山书城的气体广告。
5. 温州书城杨红樱作品展台。
6. 广东顺德购书中心杨红樱作品展台。
7. 杨红樱作品展台。
8. 浙江嘉兴书店杨红樱作品展台。
9. 广州购书中心的大幅广告。

通常，我的东西写完了以后，我就会想到，我还有一件事情没有做。那是什么呢？那就是我要到别的地方去走走。我每到一个地方去时，都会参加一些讲座或者见面会。我不能说我在传播一种东西，但是我需要把一些误区指出来。比如，现在的家长，对孩子的阅读都太功利。在我的书中，我从来没有直接把"人性关怀"写在字里行间，我都是通过一个一个的故事来说明，目的只有一个，就是让小孩子快乐地成长。我就是为他们写作的人，我看到他们喜欢读我的书，或者是他们觉得在我的书中，找到了一些快乐，得到了一些安慰，我就非常开心。比如说，孩子们说："以前我以为只有自己读书才那么苦，原来马小跳读书也那么苦，可他还可以那么快乐。"我就觉得听到这样的话，非常非常真实。（摘录自中央电视台2004年6月1日《东方之子》。）

⑤

⑥

⑦

⑧

⑨

263

9 听听大伙儿怎么说……

1

身畔是俗世
童心是天国

吴菲

　　去采访杨红樱之前对她有诸多想象。

　　推荐她给我的人说："你可能没怎么经历过小儿科大夫，小儿科大夫是一些特好玩的人，还有幼儿园阿姨，这些天天跟孩子打交道的人，身上会有一种天真。杨红樱也是，她不太像我们一般印象中的'那种'作家。"

　　她的书，读上去是轻快的，虽然在那里面每一个生活在今天的小学五六年级学生，该面对的、可能面对的东西一样也不少：课业负担、升学竞争、家长的不解、老师的误会，发育期的惶惑不安、朦胧的男女生情愫，还有来自成人社会的下岗、离婚、单亲家庭、婚外情感……"我想让孩子长大了，回忆这些事情时，还能以积极的、向上的、乐观的态度看待过去。"这是她始终的坚持和倡导。

　　当年她写童话时，别人评论她用的词是"天生丽质"。她年轻时的照片上，有那种成都女子经典的圆润的俏丽和蜜糖一样的笑靥。二十年前做过她学生的人，回忆她十九岁站在讲台上的样子时，总会记起"白色连衣裙，长发飘飘，像白雪公主"，每天放学走出校门护送学生过马路的时候，附近单位的年轻人甚至会纷纷出来围观。

　　一个女人，年轻的时候美丽，中年了还依然天真，写得出温暖童心的文字，而且好到让大人、孩子连带各路商家都追捧。一颗心能保护得这样好，想来，总该是蒙了上天一世恩宠、万事顺遂，有一个没有创痕的人生做底，才能办得到吧。

　　就这样想着一直到七月九日下午四点，做完跟杨红樱的两个小时访谈从中旅大厦离开，我一路感叹自己此前的主观臆断错得多么离谱。

那些才上小学的孩子，包括很丑的、很调皮的，他们也是人哪，应该很珍爱地对待他们。

记者： 我知道你这次到北京来主要是谈小说改编影视方面的事情，你希望什么样的人来演你笔下的那些人物？

杨红樱： 老师一定要年轻漂亮，小学生就是喜欢这样的老师，这没办法。至于小孩儿，我希望找丑一点儿的，大家开玩笑说"歪瓜裂枣"的那种最好。不要寻常成年人眼里那种又好看又听话的标准好孩子。

记者： 这么极端？为什么？

杨红樱： 因为对于长得好看的孩子来说什么都很容易，长得丑的孩子却很难得到赏识和爱。我当老师的时候，班上有一个孩子，眼睛长得特别小，挺丑的那种，谁都不喜欢他。有一天在学校门口，一个家长骑辆自行车一下子冲到我面前，直通通地问："杨老师，我们家小孩儿怎么样？"我那时候十九岁，属于自己都没长大、不太记事的那种，他们家小孩是谁我都不知道，但是我本能地就说："挺乖的。"他说："真的？挺乖的？"

记者： 他爸觉得不可能哦？

杨红樱： 是。我说："是挺乖的。"然后他爸呼地一下骑着自行车就冲走了。

这个小孩儿，平时完全是天不怕地不怕、"我就调皮我就捣蛋，我怕谁啊"的那种。那天下午就特别羞涩，在我办公室外面磨磨蹭蹭、挺不好意思的样子。我就叫他："你进来呀，你是不是有话跟我讲？"他说："杨老师，你真的说我乖呀？"我一下反应过来，今天那个当爸爸的说的就是他呀。

那天在办公室里，那个七岁的孩子问我："你说我乖啊？"我说："你是很乖啊。难道没有人说过你乖吗？"他说："没有，他们都说我'七岁八岁狗都嫌'，都这样骂我。"其实这个细节我从来没有记住过，很早就忘了。可是去年还是前年，有一天这个小孩儿，现在堂堂正正一个国家干部，当了处长还是副处长，夹个公文包来看我。他说这个细节他一辈子都会记得。

记者： 那你当时回答他爸爸的时候，你是想你应该这么说，还是你真这么觉得？

杨红樱： 我是很自然的。我觉得当老师的常常多一点点这种赏识给孩子没什么不好。每次家长来问我他们家孩子怎么样，我都说"挺好"。可能也是天性吧，我看人就是这么看的。那时候年轻，没什么理念，我就是经常看着那些小孩子想：他们也是人哪，虽然是才上小学的孩子，包括很丑的、很调皮的，他也是人哪，对他的一切，你都应该像对一个你挺珍爱的东西那样去对待他，只是现在才有些上升到理论，我在我的书里提"教育就是人性关怀"。

关于教育，我也说不出来到底哪些老师好，哪些观念正确。但是"人性关怀"，我觉得在于生活中的点点滴滴。

记者：提到"人性"，这话题可有点儿大了。

杨红樱：要具体也容易。比如教孩子感动，让他们容易动感情。我书里有一个小学生，家里的猫面临难产，大人肯定让他去上学，不管它，大人也要上班。但猫都要死了。他知道医院可以给猫做剖腹产，可以救它的命。最后这个小孩儿他就没有去上课，他把这只猫送到医院去。那学校怎么处理这件事？传统看法是应该处罚他旷课，可他的米兰老师认为，这种情感体验太重要了，一个人的生命中又能遇到多少这样的关口呢？如果一个孩子面对生命、面对死亡无动于衷，很麻木，她认为那这孩子才真是完了呢！这种东西在我书里就非常非常多。

记者：像这些事情都是有原型的？

杨红樱：就是我们办公室的事情，办公室一个会计跟我讲的，当然她是跟我抱怨她那个孩子让她太没有办法，居然不上课。

记者：《女生日记》中的罗老师有件事我觉得做得挺棒的，她去对一个父母要离婚的学生说"要尊重别人的情感"，"不要以自我为中心，既然你爱你的爸爸妈妈，你就应该多替他们想一想，如果他们彼此已经没有感情了，为了你而勉强地生活在一起，你想他们会幸福吗"。这挺先进的。要知道就是在现在的好多电影里，当父母要离婚时，小孩儿往往起的都还是一个"小人质"的作用。

杨红樱：我个人认为以前的传统做法把离婚的负面影响给夸张了，老说"你大人要想到孩子，为了孩子你不要离婚"。实际上它就没从人性这个角度去看问题，你让小孩子人生刚一开始就看到勉强的婚姻、不情愿的爱情，看到婚姻、爱情就是这个样子，他长大了还会对这些东西有憧憬吗？

其实根本不用我们有意去给孩子设置什么挫折教育，今天的孩子他在生活中面临的问题足够多，比如父母离婚了，这就是他要面临的问题，自己必须承担，父母不可能、社会也不可能替他承担这样的挫折。当年我教过一个父母离婚的孩子，二年级转到我班上，那个时候是上世纪八十年代初，离婚还比较少，可他一直上到六年级，班上都没有人知道他父母离婚，因为我就把他当一般孩子看。而很多老师的做法，会号召大家："他父母离婚了，我们大家都去关心他。"也许这样的老师是好老师，他的出发点很好，但我坚决反对这个样子。其实关于教育，你要让我说出哪些老师好，哪些老师不好，或哪些观念正确不正确，我觉得我说不出来。但是我觉得"人性关怀"，就在于生活中这点点滴滴。

我能做的就是给大家一个天国，理想的天国，大家都看得见的，你能走你就走吧，你往这个地方走。

记者：小孩子在成长中其实会经历很多很难的关口，可能大多数情况下，他们都是很孤独地过来的。大人要么想：小学三年级到六年级的孩子能有什么思想？要么觉得这就是人生的过程，大了你就明白了。我觉得你的书至少有一个作用：你告诉孩子们生活中可能会面对的东西。作为大人，没有必要对孩子回避，你回避他也会遇到。

杨红樱：我觉得你这一点说到了精华，就是这个意思，你要面临这么多的东西，这就是生活。《女生日记》出来后，很多大学的女生来信说，如果她们是在冉冬阳(《女生日记》小主人公)那个年龄就读到这本书，那会解决她们童年中的好多痛苦。好多家长也给我来电话，有个家长跟我讲，他因为这个离婚的问题一直备受困扰，向孩子开不了口，就一直拖拖拖，后来很偶然地看到《女生日记》，马上买了本让孩子先看，看了以后再慢慢讲。就是有了一个切入的东西了。

其实还有更多问题是根本没有解决方案的，所以我能做的就是给他们一个天国，理想的天国，大家都看得见的，你能走你就走吧，你往这个地方走。

记者：那你觉得什么样的状态是你理想中的天国？

杨红樱：这就很多了，学校教育方面、家庭教育方面的。其实我书中很多东西在生活中是不存在的。有人说你太理想了，我觉得只能这样，我只能说我的理想。比如你看我书里把继母都写得特别好。

记者：你不光是写继母写得好，你笔下就没有什么太糟糕的人。我想可能是你抱定那种"要给小孩儿希望"的宗旨，你说过："小孩子需要正面的东西。我要求我的作品导向正确。"

杨红樱：不完全是。也不是我有意要给小孩子希望，这就是我这种人看东西的眼光。在我眼睛里就没有什么太坏的人，看别人我都看优点，而且我相信人都是可以感动的。所以我提倡教孩子们感动，现在一提"素质教育"就都说学钢琴、学画画，却很少想到，更重要的是一个人他要容易感动、容易感激、容易知道别人对他的好，因为，只有你感到这种东西你才会给别人这种东西。像我，很多人就觉得你这么天真、这么单纯，你会不会吃亏啊，但我觉得我从来也没吃过亏。我就相信这种东西，我对别人真诚，我也会得到真诚，我付出了我就会有回报。

大人们喜欢把简单的事情复杂起来；小孩儿喜欢把复杂的事情简单下来。所以我跟成人有障碍，但是在小孩子中间，我会觉得——"这就是我的世界"。

杨红樱：一次在北京签售，一个男孩三次跑回来问我："这书真的是你写的吗?你一个大人怎么能写出我们孩子这样的东西?"这话听得我百感交集。

记者：对啊，我也很想知道你的这些了解都从哪儿来?你又如何能对这个有信心?现实生活里，比我只小三岁的人我就已经觉得我没把握，不敢对他们说"了解"。

杨红樱：这种东西对于我就像空气和水一样，因为你就沉浸在这个世界里。比如说你要让我选吃什么东西，我也知道那种快餐吃了会长胖，我也很怕我长胖，但是要选的话，我肯定还是就进这些地方——麦当劳或是肯德基。因为在这种地方会遇到很多的小孩子，我就坐在那里感受他们、观察他们，这种时候我就觉得 "这是我的世界"。

有些东西是一早就表现出来的。我哥哥十六岁去云南插队，那时我大概八岁，就开始跟他一直通信。后来我跟他讲我想当作家，我哥哥那时候就讲我不太适合做寻常的"那种"作家。因为我太简单了，我思维比较简单，比较单纯。我知道那些比如说写情感的女作家，她们想事情都比较复杂一点，写成人的你必须是这样，你肯定要比一般人更人情练达一点。而这种，我做不了，真的做不了。那这个也是天生的。

记者：是不是有一点那种感觉，你觉得跟孩子在一起，孩子喜欢你就喜欢你，会非常直接，而成人……

杨红樱：他们想得复杂了。这也是我为什么要写"马小跳系列"的原因。

马小跳扭伤了脚可以不上学，家长都帮他请了假，可他却用一只脚跳到学校去上课。沿途所有大人都在夸他是爱学习的好孩子。校长决定把他树成榜样，让老师来挖他的思想根源。可马小跳说："因为今天有美术课。我是因为喜欢林老师才喜欢美术课的。"老师问："如果今天没有美术课，你就不会来了？你就会在家里玩游戏机、看动画片了？"马小跳老老实实地说："是。"马小跳最终没有在学校被表扬，他也有一阵子搞不懂：为什么一件简简单单的事情会被搞得那么复杂？后来他觉得他懂了：大人们喜欢把简单的事情复杂起来；小孩儿喜欢把复杂的事情简单下来。

我觉得马小跳是我的最高理想，在他身上灌注了我这么多年对孩子特质的理解，孩子天性的东西张扬得很厉害。我想通过这个形象让大人来了解孩子，孩子就是这个样子的。

（原文刊载于《北京青年报》，2003 年 7 月 22 日。）

② "孩子心里想什么，我的书里能找到"

——访儿童文学作家杨红樱

杨为民

> "我的书就是他们的'心情宝典'。"

> "我为什么要倾注那么大的热情去写'坏小子'、去写'淘气包'，因为我觉得他们是真正的孩子。"

> "我跟儿童交流不会有一点障碍，他们读我的书也没有一点障碍，读得非常顺畅，一本接一本，有阅读上的成就感。"

> "要做畅销童书，首先得孩子喜欢。"

> "一个十一岁的聋哑小女孩比着手语告诉我，她读过我所有的书，我的书让她不寂寞，给她带来了很多的快乐。"

> "我是一个为孩子写作的人，一个特别关注当前中国儿童生存现状的人。"

记者：大家都知道近年来国内儿童文学市场一直被欧美日韩引进读物占据了主要份额，而国内原创儿童文学作品经常是叫好不叫座，而你的几部作品近来却连续登上各地畅销书排行榜，你对自己目前成为国内原创儿童文学最畅销的作家怎样看待？

杨红樱：中国有三亿多儿童，是全世界儿童最多的国家。目前，我的四个系列作品：作家出版社的"杨红樱校园小说系列"发行七十二万册；接力出版社的"淘气包马小跳系列"发行六十万册；二十一世纪出版社的"杨红樱非常系列"发行十五万册；春风文艺出版社的"杨红樱科学童话"发行九万册。就是这样的数字，相对于中国庞大的童书阅读主体群，也是微乎其微。

记者：你的一系列作品取得了很大的成功，业内人士认为是因为你用平等的视角真正进入了孩子们的世界，所以刻画出了贴近现实、真切反映当前儿童精神状态和情感状态的可爱形象——冉冬阳、吴缅、肥猫和马小跳等，他们都受到孩子们的真心欢迎。能否告诉大家你是怎样找到了一条通向孩子心灵的道路的？

杨红樱：其实，这就是一种写作态度的问题。我很明确，我为孩子们写作，我的书是写给孩子们看的，我必须用他们的眼光去观察，用他们的思维去思维，用他们的语言去表达，这才可能跟他们在一个平等的层面上。有孩子给我来信说，我的书就是他们的"心情宝典"，他们的心里在想什么，在我的书里都能找到。

记者：你的小说中贯穿的"教育就是人性关怀"的创作理念，是来自怎样的生活经历？

杨红樱：我做过老师，也是一位母亲，对孩子的教育问题肯定会在我的作品中有所反映。孩子不是在一夜之间就长大成人的，这个成长的过程很长，就有许多错误要犯。作为老师，作为家长，怎样面对孩子在成长中所犯的错误？我以为，孩子成长的过程，应该是一个不断地犯错误、不断地改正错误的过程。我们尊重人性，包括尊重人在成长中所犯的错误。我为什么要倾注那么大的热情去写"坏小子"、去写"淘气包"，因为我觉得他们是真正的孩子。

记者：七年的小学教师工作经历对你的创作有多大程度的帮助或影响?你作品中的人物如《漂亮老师和坏小子》中的米兰老师、《女生日记》中的罗伊老师，是否就带有当年做老师时的影子?

杨红樱：可以这么说，没有这段做老师的经历，我是不会搞儿童文学的。我教一个班的语文，还当班主任，从一年级教到六年级。我写的第一个故事，就是为我班上的学生写的，他们说写得跟书上的故事一样好，我才拿去发表的，这是我的处女作。在米兰老师和罗伊老师的身上，确实有我当年的影子。

记者：你的作品中理想化的成分多还是现实化的成分多?这是否也是你对现实生活的体会和感受?

杨红樱：在我的作品中，孩子都是现实中的孩子，比较有理想色彩的是一些成年人。我只是一个为孩子写作的人，一个

特别关注当前中国儿童生存现状的人；我无力改变现状，但我可以通过我的畅销作品，影响众多的老师多给孩子一些温情，影响众多的家长做有童心的爸爸妈妈。所以，米兰老师、马小跳的爸爸妈妈就成了孩子们心中梦寐以求的老师、梦寐以求的爸爸妈妈。

记者：你是否觉得你对儿童的世界比对成人的世界更加了解?你的思维也更接近儿童的世界?

杨红樱：我收到过上千封小读者的来信，在信中，他们问到最多的问题，就是"你一个大人，怎么会那么了解我们小孩子的事情"?我珍惜任何一个跟孩子们在一起的机会，也很在乎他们对我作品的意见。孩子不说假话，不会专拣好听的说。我跟儿童交流不会有一点障碍，他们读我的书也没有一点障碍，读得非常顺畅，一本接一本，有阅读上的成就感。

（原文刊载于《中国新闻出版报》总第3294期，2004年3月10日。）

③ 为女儿写"日记"的好妈妈

杨红樱，中国作家协会会员，现为成都某杂志社副编审。

著有长篇小说《女生日记》、《男生日记》、《五·三班的坏小子》；长篇童话《度假村的狗儿猫儿》、《那个骑轮箱来的蜜儿》、《神犬探长》；短篇童话集《寻找快活林》等。

曾获"冰心儿童图书奖"、"海峡两岸童话一等奖"等；《女生日记》获得成都市"第五届金芙蓉文学奖"。

得知著名作家杨红樱同意接受采访后，赛赛姐姐高兴之余不禁有些担忧："杨红樱，孩子们会知道吗？"

"啊，真的？《女生日记》的作者来了？我要去！"哈哈，谁知一听到这个消息，《动动书架》的专栏作者冯碧漪第一个踊跃"报名"，还拉来了自己班上的几个《女生日记》迷，赛赛姐姐的顾虑一下子烟消云散，跑得光光了！

经过几番"特训"，我们四个丫头叽叽喳喳地上了车。一路上，周杰伦在不停地唱啊唱，我们也不停地"哼哼哈兮"，看起来很轻松似的，其实是在给自己打气！印象中，作家(尤其是中年作家)大都是很死板的，杨红樱的"庐山真面目"是怎样的呢？不知不觉，目的地到了，我们一下子都紧张起来。咔嗒一声，门开了，哇噻，这哪是三四十岁的人啊？一张秀气的脸，没有一丝皱纹，一双大大的眼睛，还有一头乌黑的秀发！呵呵，能采访这么一位漂亮的女作家，真是三生有幸啊！赶快抓紧时间，开始我们的工作吧！

童年时代的"小作家"

杨老师现在是个很出名的大作家了，可是你也许不知道，早在学生时代，她就已经有"小作家"的雅号啦！

晓雯：小时候您的作文好不好？

杨：还可以吧，应该说蛮好的！我其实也就是从那个时候开始喜欢写作的。小时候我们每个周四都有作文课，每到这时，老师都会念我的作文，而且，其他班的老师也会拿去念，所以那个时候我在学校里就有"小作家"的称号。

晓雯：那您为什么喜欢写作文呢？

杨：因为你在某方面得到的表扬越多，就会越自信。人有了自信的时候，事情就会做得特别好。

看杨老师现在大方、自信的样子，你能想到吗？她小时候竟然——

　　我小时候是有点自卑的，我不是一个全面发展的孩子，比如说体育啊，数学啊，都不是很好，而且不爱说话。那时除了作文写得好一点，其他方面都很一般。可以说，我是一个"静悄悄"的女孩！

啊？看上去可不像，真令人难以置信！

女生谈《女生日记》

关于杨老师的成名作，也是我们最爱看的作品之一——《女生日记》，想问的问题早就在我们的肚子里不知打了几个转儿了，终于有机会了，怎能不一吐为快呢？

碧漪：我想问您一些关于《女生日记》的问题，您怎么会想写那样一本书呢？

杨：其实很简单，主要是因为女儿已经上六年级了，遇到很多问题，比如在同学间的交往上、生理上的一些问题。我想，这可能是个很好的素材，就写了下来，没想到这么受欢迎。

274

碧漪：那您把女生的小秘密写出来，就不怕别人说什么吗？

杨：你是指什么？

碧漪：就是您刚才说的生理方面的一些问题。

杨：这没什么。其实在国外，这是性教育的一部分，是一些比较普及的常识。而这些常识在我们国家现在普及的程度还较低，所以你才会说怕别人说你。我们常说："走自己的路，让别人说去吧。"只要我想写，我就写！(好干脆的回答！)

碧漪：那您能不能对这本书做个评价？

杨：我自己挺满意的。由于这是一本比较贴近孩子们生活和内心世界的书，所以它一出版，就卖了五万多册，而且还引起了很大的社会反响，我自己对此感到非常高兴啦！

说起来容易，做起来……

作为一位写儿童文学作品的名作家，对于自己的女儿，杨老师又是怎样教育的呢？

千惠：您刚才说写《女生日记》时，女儿正上六年级，六年级的学习是很紧张的，那您忙于写作，会不会耽误女儿的学习啊？

杨：不会。我觉得小孩子都上六年级了，基本上不用家长操心了。而且，不管孩子遇到什么事情，我觉得那都是她自己的事，应该由她自己来解决。现在，很多家长都不会教育小孩，把自己全部的精力都放在小孩身上，我觉得这样不太好。

宇彤：那您在家会不会辅导您女儿的功课？

杨：我基本上不辅导她的功课，只是在学习方法或是时间安排上给她一些建议。我觉得在高年级，特别是毕业考试前学习比较紧张的时候，家长应该多做些能让小孩子放松的事情。

千惠：那您女儿的学习成绩好吗？

杨：我觉得比我预想的要好，在全校她总分排名第五。

宇彤：周末时，您带不带女儿出去玩？

杨：当然会带她出去玩。这样我们就能进行更多的交谈。

　　这不是小孩和父母的交谈，而是像朋友一样的，没有界限的交谈，在学校里男生女生之间的问题、和老师之间的问题、班上的敏感话题等等，我们都会谈。

在我们的环环"紧逼"下，杨老师轻松自然，对答如流，即使我们四人八只"火眼金睛"，也看不出一丝"作秀"的样子。看来，杨老师不仅是位好作家，而且还真是一位好妈妈呢！

图书在版编目（CIP）数据

瞧，这群俏丫头／杨红樱著．—济南：明天出版社，
2005.2 （2010.9 重印）
（杨红樱作品珍藏版）
ISBN 978-7-5332-4751-5

Ⅰ.瞧...　Ⅱ.杨...　Ⅲ.儿童文学－故事－
作品集－中国－当代　Ⅳ.I287.5

中国版本图书馆 CIP 数据核字（2005）第 002328 号

杨红樱作品珍藏版

瞧，这群俏丫头

*

明天出版社出版发行

（济南经九路胜利大街）

http://www.sdpress.com.cn

http://www.tomorrowpub.com

各地新华书店经销　山东新华印刷厂印刷

*

156×205 毫米　32 开　9.125 印张

2005 年 2 月第 1 版　2010 年 9 月第 28 次印刷

ISBN 978-7-5332-4751-5

定价：20.00 元

如有印装质量问题，请与印刷厂调换。